BBC RADIO – SECOND YEAR SPANISH
BOOK 1 PROGRAMMES 1 to 10

Language notes by **Anne E. Ife** of the University of Essex

Interviewers **Carmen Ruíz** and **Pepe Machado**

Language Consultant **Angel García de Paredes**

Produced by **Alan Wilding**

British Broadcasting Corporation

ACKNOWLEDGMENTS

Acknowledgment is due to the following for permission to reproduce illustrations:

CAMERA PRESS LTD page 64; CARVAJAL pages 18, 19, 40 and 43; J. ALLAN CASH page 57; EUROPA PRESS pages 11, 13, 32, 71 and 75; PRADO MUSEUM, MADRID pages 48 and 50; SPANISH NATIONAL TOURIST OFFICE page 76.

First published 1972

Published by the British Broadcasting Corporation
35 Marylebone High Street, London W1M 4AA
Printed in England by Cox & Wyman Ltd,
London, Fakenham and Reading

ISBN 0 563 10680 8

CONTENTS

La Coruña

Santiago de
Compostela

GALICIA

ASTURIAS

LEON

Bilbao

San Sebastián

NAVARRA

R. Ebro

CATALUÑA

Barcelona

Zaragoza

Burgos

R. Duero

Valladolid

CASTILLA LA VIEJA

Segovia

R. Tajo

PORTUGAL

EXTREMADURA

MADRID

Illescas

Chinchón

Toledo

CASTILLA
LA NUEVA

Valencia

LISBOA

R. Guadalquivir

Sevilla

ANDALUCIA

Granada

Málaga

INTRODUCTION

This series of twenty programmes has been planned to follow on from the BBC-tv course for beginners, *Zarabanda*, but anyone who has completed a course in elementary Spanish should find it useful.

Traditionally, a language course consists of a story or specially written texts which introduce the grammar to be learnt step by step. We have tried a rather different approach. Each radio programme is based on an interview or interviews collected in Spain on subjects such as daily life, the home, jobs, studies, courtship and marriage, old age and village life. The people you will hear are not actors but ordinary Spaniards from all walks of life and of all age-groups talking about the things that interest and concern them. We asked them to speak as slowly and as clearly as possible, but otherwise what they say is natural and spontaneous – so don't be discouraged if you can't understand every single word straight away, though we think that the general drift of many of the conversations will be surprisingly easy to follow.

This book contains the text of the interviews, which have been graded in order of approximate difficulty. In each chapter there are also notes on the Spanish language and life in Spain, an explanation of the more difficult expressions that cropped up in the interviews, and some exercises for those who would like written practice. In addition we have included a 'revision' section which can be used for brushing up the most basic facts of Spanish or simply for reference.

We suggest you try to spend some time before the broadcasts looking through the relevant text and notes so that you are prepared when you *hear* the interview on the air. If time permits, do the written work and check your answers in the back. In the programmes we shall include oral exercises different from those printed in the book.

We hope that at the end of the series you will be able to speak and understand Spanish a little better, and also that you will know something more about the Spanish and life in Spain, just as it is – *tal como es*.

The programmes: broadcast on Mondays at 7 p.m. on Radio 3 (medium wave) 2 October 1972 to 12 March 1973. Repeated on Sundays at 3 p.m. on Radio 4 (vhf) 1 October 1972 to 18 March 1973. (Programme 1 broadcast on two Sundays, 1 and 8 October 1972.)

A 12-in. long-playing record containing all the interviews included in the programmes and printed in this book is available from booksellers and BBC Publications, London W1A 1AR.

Book 2 and **Record 2** covering programmes 11–20 available December 1972.

REVISION NOTES

These notes should serve as a reminder of the basic elements of Spanish. We suggest you run through them before listening to the radio series to refresh your memory and for general reference.

Articles

The articles must agree with the noun they accompany.

Definite article (the)

	masculine	feminine
singular	el	la
plural	los	las

e.g. **el** coche – **los** coches
la mujer – **las** mujeres

NB **el** changes after the prepositions **de** and **a**

de+el = **del**   el nombre **del** chico
a+el = **al**   voy **al** cine

To refer to things in general or as a class, Spanish must use the definite article where English would normally have no article at all:

no me gusta **el** café   I don't like coffee
prefiero **el** vino   I prefer wine
las grandes ciudades siempre   large cities always have lots of
    tienen mucho tráfico   traffic

Indefinite article (a, an, some)

	masculine	feminine
singular	un	una
plural	unos	unas

e.g. **un** cigarrillo – **unos** cigarrillos
una hora – **unas** horas

Adjectives

Adjectives always agree in number with the noun they accompany. Some have masculine and feminine forms too and therefore must agree in gender.

singular	plural
grande	grandes
útil	útiles
joven	jóvenes
viejo/vieja	viejos/viejas
español/española	españoles/españolas
inglés/inglesa	ingleses/inglesas

The usual position of adjectives is immediately **after** the noun.

quiero comprar un coche **español**	I want to buy a Spanish car
María y Carmen son chicas **jóvenes**	María and Carmen are young girls
los ejercicios **difíciles** son muy útiles	difficult exercises are very useful

BUT

Some very common adjectives like **mucho, poco, otro** always precede the noun.

tenemos **muchos** amigos aquí en España	we have many friends here in Spain
Pedro tiene **otro** coche	Pedro has another car
tenemos **poco** dinero	we have little money

Verbs

Present tense (regular endings)

In the infinitive, Spanish verbs may have one of 3 endings: **-AR, -ER** or **-IR** (e.g. **hablar** – to speak, **beber** – to drink, **vivir** – to live). These endings determine the present tense forms of the verb.

	-AR	-ER	-IR	
yo	hablo	bebo	vivo	I speak, am speaking
Vd., él, ella	habla	bebe	vive	you/he/she/it .....
nosotros-as	hablamos	bebemos	vivimos	we .....
Vds., ellos, ellas	hablan	beben	viven	you-pl/they-m, they -f.....

| **vivimos** en Madrid | we live in Madrid |
| **hablan** con María y Miguel | they are talking to María and Miguel |

You will find at the back of the book a table of the irregular verbs which do not conform to the general rule. These verbs are indicated in the vocabulary by an asterisk *.

It is not essential to use **yo, Vd., él** etc. with the verb because their meaning is included in the verb ending. The subject pronouns (**yo** etc.) are used mainly for emphasis or if there is danger of confusion.

| quiere fumar | you/he/she wants to smoke |
| **él** quiere fumar | *he* wants to smoke |

Command forms (speak!, drink! etc.)

	-AR	-ER	-IR
to one person	hable	beba	escriba
to more than one	hablen	beban	escriban

Radical-changing verbs

Some verbs are irregular, not in their endings, but because the part immediately before the ending (the stem) changes in some forms of the verb. As a general rule:

$$o \rightarrow ue \qquad\qquad e \rightarrow ie$$

Examples:

poder: **puedo**	querer: **quiero**
puede	**quiere**
podemos	**queremos**
pueden	**quieren**

Verbs which behave like this are indicated in the vocabulary:

cerrar (ie), volver (ue) etc.

Negatives: no (not . . .), nunca (never), nadie (no-one)

A sentence is made negative by placing **no** immediately before the verb:

no venden billetes aquí	they don't sell tickets here
Vd. **no** come mucho hoy	you aren't eating much today

Nunca and **nadie** may also precede the verb:

Juan **nunca** viene a Madrid	Juan never comes to Madrid
Nadie quiere salir	no-one wants to go out

They may also be placed *after* the verb, in which case **no** must precede it.

Juan **no** viene **nunca** a Madrid	Juan never comes to Madrid
no viene **nadie**	no-one is coming

Personal a

When the object of a verb is a person then it must be preceded by **a**:

veo **a** Miguel	I can see Miguel
voy a visitar **a** la señora García	I am going to visit Sra. García

BUT

no veo el coche	I can't see the car

Questions

Spanish has several ways of making questions:

1   An ordinary statement can be a question if it is said with a rising intonation. This is something you will hear in the programmes, so listen for it.

2   A question can also be made by placing the subject of the sentence *after* the verb:

¿Ve **Vd**. a la señora Gómez?	Can you see Sra. Gómez?
¿Viene **Juan** a comer hoy?	Is Juan coming to eat today?

These questions are also spoken with a rising intonation. Basically they expect the answer **sí** or **no**.

8

3 Questions which want more information than this use special question words like ¿**qué**? (what), ¿**quién**? (who), ¿**por qué**? (why), ¿**cuándo**? (when), ¿**dónde**? (where). All except ¿**quién**? also require the subject to follow the verb:

¿**Quién** va a salir?	who is going out?
¿**Qué** quiere María?	what does María want?
¿**Qué** tipo de coche tiene Vd.?	what kind of car do you have?
¿**Por qué** no vienen ellos?	why don't *they* come?
¿**Cuándo** vienen Vds. a Madrid?	when are you coming to Madrid?
¿**Dónde** está la casa?	where is the house?

4 Questions may also be formed by adding ¿**verdad**? or ¿**no**? to a statement. These questions are asking for confirmation of what has been said, like the English '*isn't it?*' etc. Again the voice rises at the end of the question.

Vd. va a hablar con Manuel ¿**verdad**?	you are going to talk to Manuel, aren't you?
Madrid es una ciudad muy grande ¿**no**?	Madrid is a large city, isn't it?

Numbers

1	uno/-a	21	veintiuno	111	ciento once
2	dos	22	veintidós	121	ciento veintiuno
3	tres	23	veintitrés	200	doscientos/-as
4	cuatro	24	veinticuatro	300	trescientos/-as
5	cinco	25	veinticinco	400	cuatrocientos/-as
6	seis	26	veintiséis	500	quinientos/-as
7	siete	27	veintisiete	600	seiscientos/-as
8	ocho	28	veintiocho	700	setecientos/-as
9	nueve	29	veintinueve	800	ochocientos/-as
10	diez	30	treinta	900	novecientos/-as
11	once	31	treinta y uno	1000	mil
12	doce	32	treinta y dos	3200	tres mil doscientos
13	trece	40	cuarenta	1 000 000	un millón
14	catorce	50	cincuenta		
15	quince	60	sesenta		
16	dieciséis	70	setenta		
17	diecisiete	80	ochenta		
18	dieciocho	90	noventa		
19	diecinueve	100	cien		
20	veinte	101	ciento uno		

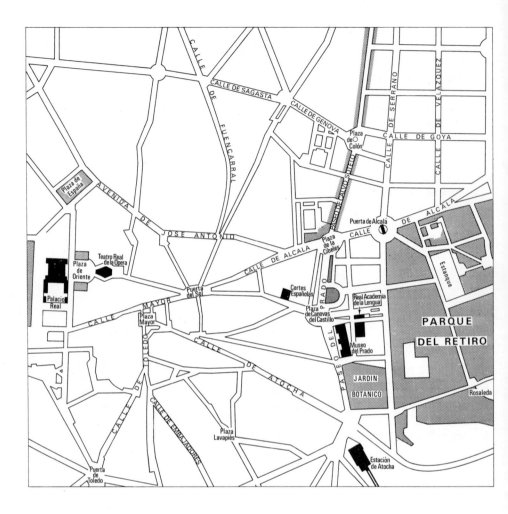

Above: The centre of Madrid

Opposite: View of Madrid showing the Retiro and the Puerta de Alcalá

Carmen	Yo soy Carmen Ruíz.
Pepe	Y yo, Pepe Machado.
Carmen	Cada semana nosotros vamos a ayudarles a conocer la lengua que usamos todos los días aquí en España. Vamos a hablar con distintos grupos de personas sobre su forma de vida.
Pepe	Queremos ilustrar varios aspectos de nuestra vida y dar a las entrevistas un interés humano.
Carmen	Vamos a hablar con niños, con gente joven, con ancianos, en fin con toda clase de personas y en sitios muy diversos.
Pepe	Y así esperamos que Vds. van a conocer cómo vivimos, pensamos y somos los españoles.

*   *   *

11

Pepe *Es casi imposible describir Madrid en tres o cuatro minutos. Entonces ¿qué puedo decir? Pues tiene más de tres millones de habitantes, está en el centro de España, lejos del mar, y como todas las grandes capitales tiene teatros, cines, restaurantes, monumentos. Pero vamos a hablar por las calles con los habitantes de Madrid – con los madrileños. Voy a preguntar ¿qué es lo que más le gusta de Madrid?*

In the streets of Madrid

Pepe ¿Qué es lo que más le gusta de Madrid?

Joven Lo que más me gusta de Madrid es el ambiente cultural. En cuanto a la ciudad lo que más me gusta es la parte hecha en época de Carlos III.

Pepe ¿Algo más?

Joven Pues sí. También me gusta el clima.

Pepe Y ¿conoce Vd. otras ciudades de España?

Joven Pues sí. Conozco Barcelona, Bilbao, Zaragoza, Coruña, Vigo.

Pepe ¿Cuál le gusta más de todas ellas?

Joven Bueno . . . Santiago, Santiago de Compostela. Y también Toledo y Segovia.

Pepe Y lo que menos le gusta de Madrid ¿qué es?

Joven Lo que menos me gusta es el tráfico, la polución, la cantidad de gente que hay en las calles del centro.

Pepe Muchas gracias.

*   *   *

Pepe Dígame ¿qué es lo que más le gusta de Madrid?

Señora Los museos, las obras de arte, los monumentos, el público en general, todo.

Pepe ¿Hay algo que no le gusta a Vd. de Madrid?

Señora Sí, sí. Los embotellamientos de los coches.

Pepe Y dígame, de otras ciudades españolas ¿cuál le gusta más?

Señora ¡Andalucía! Tiene mucho sol, es muy bonito, muy claro, la gente es muy alegre, en fin, es ideal.

Pepe ¿Es Vd. de Madrid?

Señora Sí, sí.

Pepe Gracias.

Señora De nada.

*   *   *

Pepe ¿Qué es lo que más le gusta a Vd. de Madrid?

Señor Bueno, pues su ambiente de capital europea, el museo del Prado, sus calles antiguas y su parte histórica.

Pepe ¿Y lo que menos le gusta?

Señor La contaminación atmosférica.

Pepe ¿Es Vd. de Madrid?

Señor Sí, soy de Madrid.

Pepe ¿Le gusta por ejemplo el Retiro?

Señor Sí, me gusta. Es un parque amplio, con árboles, sin contaminación, donde pueden jugar los niños y descansar los mayores.

In the Retiro Park

Pepe *Una ciudad no es completa sin parques, y Madrid tiene varios. Uno de los más populares es el Retiro, popular porque es muy céntrico.*
Estamos en el Retiro y aquí vemos a una señora y a un caballero. ¿Me puede decir, señora, a qué viene al Retiro?

Señora A respirar aire puro, a oir un poco a los pajaritos y ver el agua del estanque, de los dos estanques, que hay en el Retiro.

Pepe ¿Y Vd. caballero también?

Señor También, y yo vengo por acompañar a mi mujer principalmente y después tomo el mismo aire puro y disfruto de la misma vista.

Pepe Señora ¿nos puede describir cómo es el Retiro?

Señora El Retiro es un parque bastante grandecito, que tiene dos lagos, que tiene una pista de patinar, tiene dos especies de 'nightclubs' y después mucha fronda.

Pepe ¿Es el mejor lugar para pasear en Madrid?

Señora El mejor por estar muy céntrico, está él mismo dentro de Madrid.

Pepe ¿Y es bueno también para los niños?

Señora Sí, los niños vienen mañana y tarde.

Pepe ¿Hay un gran lago también donde se puede ir en barca?

Señora Sí, se puede ir en barca, remar, y en fin hacerse un poquito la idea de que está uno en el Atlántico.

Pepe ¿Qué hacen Vds. exactamente aquí ahora?

Señora Pues nosotros paseamos arriba y abajo del estanque este. Después vamos al estanque de al lado a ver dos cisnes y cuatro patos que hay allí.

Pepe Señora y caballero, muchas gracias.

Señora Nada. A Vds.

Señor De nada, por Dios.

EXPRESIONES

Vds. van a conocer cómo vivimos . . . los españoles	you are going to get to know how we Spaniards live . . .
por las calles	in the streets
¿Qué es lo que más/menos le gusta de Madrid?	What do you like most/least about Madrid?
en cuanto a	as for
la parte hecha en época de Carlos III	the part built in the period of Carlos III
¡Dígame!	Tell me!
¿Hay algo que no le gusta a Vd.?	Is there anything you don't like?
Tiene mucho sol	It's very sunny
[De] nada	Don't mention it
donde pueden jugar los niños	where children can play
uno de los más populares	one of the most popular
¿a qué viene al Retiro?	what do you come to the Retiro for?
yo vengo por acompañar a mi mujer	I come to walk with my wife
un parque bastante grandecito	a biggish park
una pista de patinar	a skating rink
por estar muy céntrico	because it's so very central
está él mismo dentro de Madrid	it's right in the heart of Madrid
se puede . . .	you can
hacerse un poquito la idea de que está uno en el Atlántico	to pretend for a while that you're on the Atlantic
paseamos arriba y abajo del estanque este	we're walking up and down beside this lake
vamos al estanque de al lado	we're going to the lake next to it

LA VIDA

Madrid

By European standards Madrid is a fairly new capital and has been capital of Spain for just over 400 years. Before that Spain itself did not exist as we know it, but consisted of a number of separate kingdoms (such as Castile, Aragon and Navarre), each with its own capital. Madrid was made capital of a unified Spain by King Felipe II in 1561. It is now a modern, rapidly expanding city, bearing more resemblance to any other modern European city than to the type of town traditionally associated with Spain, though it does have its old, typical corners. Its position, high on a plateau (the *meseta*) and in the very heart of the country, gives it a climate of cold though usually dry winters and very hot summers. Vast areas of development are now under way and enormous blocks of flats are springing up to provide homes for the people who are pouring into the capital from other regions to live, study and work.

La parte hecha en época de Carlos III is the area constructed in the middle of the eighteenth century and includes neo-classical buildings such as the Prado Museum, the Royal Palace and the Puerta de Alcalá.

LA LENGUA

Object pronouns (me, him, them etc.)

SUBJECT   OBJECT

yo	me	me venden un libro	they sell me a book
él, Vd. (masc)	le	le conozco muy bien	I know him (or you) very well
ella, Vd. (fem)	la*	la veo todos los días	I see her (or you) every day
nosotros /-as	nos	nos hablan de Madrid	they talk to us about Madrid
ellos, Vds. (masc)	les	les acompañamos al Retiro	we accompany them (or you) to the Retiro
ellas, Vds. (fem)	las*	las veo con frecuencia	I see them (or you) often

The object pronoun in all these cases is placed *immediately before* the verb. But with an infinitive, the pronoun can be attached to the end.

Juan quiere venderme un coche ⎫
Juan me quiere vender un coche ⎭ Juan wants to sell me a car

Vamos a ayudarles a conocer la lengua ⎫ We're going to help you to get
Les vamos a ayudar a conocer la lengua ⎭ to know the language

NB1* As an *indirect* object (to her/them) **le** and **les** are used instead of **la** and **las**.

Le hablo de Madrid   I speak to her (or him, or you) about Madrid

Gustar (see below) always takes an indirect object.

NB2 **Le** can have so many meanings (him, you, to her etc.) that Spanish can add **a Vd.**, **a él**, **a ella**, or even **a Juan**, **a María** etc. to avoid ambiguity.

Le hablo ⎧ a él ⎫   I'm speaking to ⎧ him ⎫
         ⎪ a ella ⎪   ⎪ her ⎪
         ⎨ a Vd. ⎬   ⎨ you ⎬
         ⎩ a Juan ⎭   ⎩ Juan ⎭

Gustar

A Spaniard does not say that he *likes* something but that something is pleasing to him (i.e. **gustar** with one of the pronouns above). **Gustar** agrees with *the thing liked*.

Me gusta mucho **Madrid**	I like Madrid very much
Me gustan los teatros de Madrid	I like the theatres in Madrid
¿Le gusta el Retiro?	Do you/does he/does she like the Retiro?
¿Les gusta el Prado?	Do they like the Prado?
Nos gustan mucho los parques	We like parks very much

Word order is much freer in Spanish than in English. With **gustar** for example, the subject (i.e. the thing or person which is liked or not liked) usually follows the verb.

Possessive adjectives (my, his, her etc.)

mi – mis	nuestro/-a nuestros/-as	su – sus

    (my)   (our)   (his, her, your,/ their, its)

The possessive adjective agrees with *the thing possessed.*

mi casa	my house	**mis** casas	my houses
nuestro niño	our child	**nuestras** opiniones	our opinions
su vida	his/her/your/ their life	**sus** amigos	his/her/your/ their friends

It is usually clear from the context whether **su/sus** means *his, her, your, their* or *its.*

María juega con **su** niño	María is playing with *her* child
Madrid y **sus** habitantes	Madrid and *its* inhabitants

If it is *not* clear exactly who the owner is, then Spanish adds **de él, de ella, de Vd**. etc. to avoid ambiguity.

su coche ⎰de él   his⎱
        ⎨de ella   her ⎬car
        ⎱de Vds.   your⎰

Use of the infinitive

1   Some Spanish verbs (e.g. **poder, querer, gustar, preferir**) may be followed immediately by the infinitive of another verb.

Queremos ilustrar varios aspectos de nuestra vida	We want to illustrate a number of aspects of our life
¿Qué **puedo decir**?	What can I say?
Los niños **prefieren jugar** en el parque	Children prefer to play in the park
Me **gusta vivir** aquí	I like living here

2   Other verbs take an **a** before a following infinitive. One of the most common is **ir a**, used to indicate the future, as with English *going to . . .*

Vamos a hablar con niños	We are going to talk to children
Vds. **van a conocer** cómo vivimos	You are going to get to know how we live

Other verbs taking **a** include **ayudar** and **venir**.

Venimos a respirar aire puro	We come to get a breath of fresh air

3   Some adjectives too can be followed by an infinitive – e.g. **interesante, imposible, difícil, fácil**.

Es casi **imposible describir** Madrid en tres o cuatro minutos	It's almost impossible to describe Madrid in 3 or 4 minutes

Ser and estar

Ser is used:

1 to say who someone is or what something is:

Soy Carmen Ruíz	I am Carmen Ruíz
Es un barco	It's a boat

2 what they are like:

La gente **es** muy alegre	People are very cheerful
Es un parque grande	It's a big park

3 and where someone is from:

¿**Es** Vd. de Madrid?	Are you from Madrid?
Sí. **Soy** de Madrid ⎱	
Soy madrileño ⎰	Yes. I am from Madrid

Estar is used:

1 to describe the position or location of someone or something.

Estamos en el Retiro	We are in the Retiro
Madrid **está** en el centro de España	Madrid is in the centre of Spain

2 with adjectives which express a non-permanent state:

los niños **están** contentos hoy	the children are happy today (but not always)
María **está** enferma	María is ill (but she isn't *always* ill)
¿Cómo **está** Vd.? **Estoy** muy bien	how are you? I'm fine (at the moment)

En fin

This is a summing-up phrase corresponding to 'that is . . .' or 'in other words . . .'
El Retiro tiene árboles, estanques, una pista de patinar . . . en fin muchas cosas.

EJERCICIOS

I Complete the following sentences along the lines of the example.

Yo voy a **jugar con los niños** porque **me gustan** mucho.

1 Nosotros . . . . comprar el coche . . . .
2 Juan. . . . . tomar aire puro . . . .
3 María . . . . pasar dos días en Madrid . . . .
4 Ellos . . . . comer pato . . . .
5 Yo . . . . ir al Retiro . . . .
6 Ellas . . . . visitar todos los museos . . . .
7 Mi marido . . . . invitar a Pepe y a Carmen . . . .
8 Nuestros amigos . . . . ir a Barcelona y a Bilbao . . . .

17

II Fill in the blanks with the most likely possessive adjective, as in the example.

Juan va al museo con **su** amigo.

1 Carmen quiere venir con ...... hijas.
2 Vamos a salir con ...... perro.
3 Los madrileños nos hablan de ...... ciudad.
4 Carmen y Pedro no pueden vender ...... coche.
5 Tengo que hablar con ...... hermano hoy.
6 ¿Va Vd. a pasear con ...... amigos?
7 Me gusta el Retiro con ...... dos estanques.
8 ...... amigo me dice que no puede venir hoy.
9 Carmen no puede salir porque ...... marido está enfermo.
10 ...... mujeres no nos acompañan al 'nightclub'.

III Insert the correct forms of **ser** or **estar** as appropriate.

Ahora conocemos a unos señores de Madrid, que ...... la capital de España. ...... una ciudad grande y moderna y ...... en el centro del país lejos del mar. Tiene un clima muy bueno y sus habitantes ...... de todas partes de España. En general lo que menos les gusta ...... el tráfico y por eso van al parque del Retiro, que ...... muy popular porque ...... en el centro mismo de la ciudad. Sus árboles y sus jardines ...... magníficos. Un señor que ...... en el parque nos habla así: 'Yo ...... de Bilbao pero ...... en Madrid para visitar a mi hermana, que ...... enferma.'

Alicia Ríos and Paco García de Paredes are a young married couple living in a modern flat in the North of Madrid.

Carmen ¿Cómo se llaman?

Alicia Yo me llamo Alicia Ríos.

Paco Mi nombre es Paco García de Paredes.

Carmen ¿Son Vds. matrimonio?

Alicia Sí. Estamos casados.

Carmen Entonces ¿cómo Alicia se apellida Ríos y Paco se apellida García de Paredes?

Paco Porque en España la mujer conserva su propio nombre de familia cuando se casa.

Carmen Entonces ¿la esposa nunca usa el apellido del marido?

Alicia No. Legalmente ya siempre se llama como antes de casarse, pero si quiere utilizar el prestigio del matrimonio, se llama Alicia Ríos *de* García de Paredes.

Carmen ¿Y Vd. qué hace?, Alicia.

Alicia Yo soy profesora de Psicología en la Facultad de Filosofía y Letras (¿En la universidad?) en la Universidad de Madrid.

Carmen ¿Y Vd. Paco?

Paco Yo soy arquitecto y trabajo para un programa de construcciones escolares del Ministerio de Educación y Ciencia.

Carmen Sí. En este piso suyo ¿qué habitaciones tienen?

Paco Bueno, esta vivienda tiene unos noventa metros cuadrados y consta de un gran cuarto de estar-comedor, con una amplia terraza, dos dormitorios, un cuarto de baño completo, cocina, una pequeña terraza de servicio, y un cuarto de servicio, dormitorio de servicio, pero que utilizamos como taller doméstico para costura, plancha . . .

Carmen Entonces su piso tiene cierta superficie destinada al servicio . . . un dormitorio, un cuarto de baño. ¿Tienen Vds. criada? (No) ¿Y quién les ayuda? ¿Quién ayuda a Alicia a hacer el trabajo de la casa?

Alicia Pues, tenemos una asistenta que viene tres veces por semana. Viene los lunes, los miércoles y los viernes y está de nueve a una de la tarde, cuatro horas.

Carmen ¿Y eso no es una criada?

Alicia No, no esto es una asistenta porque trabaja por horas y yo le pago cincuenta pesetas por cada hora que viene a trabajar para mí y, además, no vive en mi casa. Y las criadas viven en la casa y están disponibles durante todo el día para trabajar.

Carmen ¿Y Vds. trabajan los dos? Entonces ¿dónde comen normalmente?

Paco Comemos algunos días en casa, otros días fuera en un restaurante.

Carmen Cuando comen en casa, ¿quién cocina?

Alicia Pues, unas veces cocino yo y otras veces cocina Paco. Paco es un marido muy moderno.

Carmen Sí, ¡ya lo veo! Y ¿le gusta cocinar, Paco?

Paco Sí, sí.

Carmen ¿Tiene alguna especialidad?

Paco Bueno, quizá las tortillas variadas.

Carmen ¿Y Vd. Alicia?

Alicia A mí me gusta mucho la cocina exótica. (¿India, china?) Fundamentalmente la base es el arroz, y sobre el arroz variedades que dependen del estado de ánimo de cada día.

Carmen Pero, por ejemplo, la paella se hace con arroz también. (Sí.) ¿Vd. no se refiere a platos como paella?

Alicia No, no, no. Son otros platos inspirados en la cocina oriental.

Carmen ¿Y por la noche cocinan?

Alicia Algunas veces. (Algunas veces.) Pero normalmente tomamos una sopa caliente y después una cena fría. Consiste en jamón, quesos, yogurt con frutas y café.

Carmen ¿Vds. tienen niños?

Paco No, no tenemos.

Carmen ¿Cómo emplean el tiempo libre, por ejemplo los fines de semana?

Paco Bien, de manera muy diversa. Algunos fines de semanas solemos quedarnos en casa descansando, leyendo, oyendo música. Otras veces salimos al campo a andar, hacer un poco de ejercicio. Otras veces solemos irnos a alguna ciudad cercana a Madrid a pasar el fin de semana.

Carmen ¿Qué horario de trabajo tienen?

Alicia Pues yo tengo un horario bastante bueno porque sólo trabajo por las mañanas, de nueve de la mañana a dos de la tarde, y tengo las tardes libres para estudiar y tener trabajo experimental.

Carmen ¿Y Vd. Paco?

Paco Yo trabajo la jornada completa desde las nueve hasta las dos y por las tardes de cinco a ocho.

Carmen ¿Cómo van a trabajar? Porque la Universidad de Madrid está bastante lejos ¿no?

Alicia Sí. Normalmente, yo llevo el coche por la mañana, yo conduzco y le llevo a Paco a la oficina y después continúo a la Universidad y vuelvo a casa, y él viene con alguien de la oficina o andando, porque está bastante cerca de casa.

Carmen O sea ¿solamente tienen un coche? (Sí, sí.) ¿Y normalmente lo usa la señora de García de Paredes?

Paco ¡No exactamente! Lo usa el que más necesidad tiene de él.

EXPRESIONES

la mujer conserva su propio nombre de familia	the woman keeps her own family name
antes de casarse	before getting married
en este piso suyo	in this flat of yours
cierta superficie destinada al servicio	a certain amount of space for a maid
tres veces por semana	three times a week
están disponibles durante todo el día	they are available all day long
¿Vds. trabajan los dos?	you both work, don't you?
¡ya lo veo!	so I see!
dependen del estado de ánimo de cada día	they depend on the mood of the day
la paella se hace con arroz	paella is made with rice
de manera muy diversa	in a variety of ways
por las mañanas/tardes	in the morning/afternoon
lo usa la señora de García de Paredes	Señora García de Paredes uses it
lo usa el que más necesidad tiene de él	whoever needs it most uses it

LA VIDA

Surnames

Spanish women do not have to take their husband's surname when they marry, but may continue to use their own: so Alicia, although married to Paco *García de Paredes*, still calls herself Alicia *Ríos*. She can, if she likes, call herself by her full married title of Alicia Ríos **de** García de Paredes, or as most people would address her: señora **de** García de Paredes (literally 'wife of . . .'). Any children she and Paco may have will be known by their father's surname (e.g. Juan García de Paredes) though officially their surname would include that of their mother – i.e. Juan García de Paredes **y** Ríos.

La criada

The typical *criada* is a young girl in her late teens or early twenties, who comes from one of the poorer, more rural regions of Spain to live with a city family. She has to clean, cook, look after the children, do the washing etc., in return for which she receives her room, her meals (usually taken separately from the family), a small wage and a certain amount of free time. Most *criadas* seem quite contented with their life, and many are treated as a member of the family, although their duties are clearly understood. Spanish housewives rarely leave everything to the maid and quite often they work together on household chores.

Once this was the only way for a young country girl to experience city life: now there are more jobs she can do (in shops, factories, offices etc.) which pay better than domestic service. As a result the typical *criada* is disappearing and the kind of *asistenta* Alicia has is becoming more common: a daily help, in fact.

Meal-times and working hours

The Spaniards' mid-day meal (*la comida* or *el almuerzo*) is usually eaten at around 2.30. Most businesses and shops close for at least two hours (from 2 pm to 4 pm or even later) so that people can return home for a substantial meal of at least three courses, and perhaps even a *siesta*. Paco has a three-hour break from 2 pm to 5 pm. Work then continues until about 8 pm and the evening meal (*la cena*) is taken at around 10. This may or may not be a substantial meal, depending on the family.

LA LENGUA

Reflexive verbs

A number of verbs in Spanish have an extra 'reflexive' pronoun.
Example: Llamarse: to be called

yo	**me**	yo **me** llamo
él, ella Vd.	**se**	él **se** llama
nosotros/-as	**nos**	nosotros **nos** llamamos
ellos, ellas Vds.	**se**	Vds. **se** llaman

(The position of reflexive pronouns is the same as that of object pronouns – see p. 15.)

22

Some of these verbs are truly reflexive – i.e. they describe an action *done to oneself*.

yo **me** lavo   I'm washing (myself)
él **se** afeita   he's shaving (himself)

Without the reflexive pronoun these verbs describe the same action done to other people.

la madre lava a su niño   the mother is washing her child
el barbero afeita al cliente   the barber is shaving the customer

The reflexive idea is often absent from the English:

Alicia **se** apellida Ríos   Alicia's surname is Ríos
                                  (i.e. Alicia surnames herself . . .)

Voy a casar**me** con Paco   I'm going to marry Paco
                                (i.e. I'm going to marry myself to Paco)

NB Many Spanish verbs, though not reflexive in *meaning*, still use the reflexive forms, e.g.

irse   *to go away, to leave* (but **ir** *to go*)
quedarse   *to remain, stay* (but **quedar** *to be left*)

nos quedamos en Madrid   we're staying in Madrid
se va el viernes   he's leaving on Friday
yo no **me** refiero a la paella   I'm not referring to paella

Articles

Spanish needs no indefinite article (un, unos etc.):

1 With **ser** + a profession:

soy profesora   I am a teacher
soy arquitecto   I am an architect
es criada   she is a maid

2 With **ser** + a term referring to kinship:

¿son Vds. matrimonio?   are you a married couple?
voy a ser padre   I'm going to be a father

3 In questions and negative sentences where English would use 'a', 'any' or 'some':

¿hay café?   is there any coffee?
¿tienen Vds. criada?   have you got a maid?
no tenemos niños   we don't have any children

Estar

Because **estar** is used to denote position (p. 17), it is often enough on its own to express the idea of *presence*, though English would need a more explicit phrase.

está de nueve a dos   she's here from 9 till 2
¿**está** Paco?   is Paco in?
No. No **está**   No. He's not here

Demonstratives: este (this)

Used as an adjective, **este** has the following forms:

	masculine	feminine
singular	este	esta
plural	estos	estas

este hombre   esta vivienda

estos pisos   estas casas

Este may be used separately from its noun, in which case the written form carries an accent.

éste es mi hermano	this is my brother
prefiero mi casa a **ésta**	I prefer my house to this (one)

The form **esto** is used when you are referring not to a particular noun but to a whole idea.

esto es muy interesante	this (i.e. what you have just said) is very interesting
esto es una asistenta	this (i.e. what we've been talking about) is a daily help

Descansando, hablando

This form of the verb corresponds to the English *-ing* form (singing, writing) though their uses do not always coincide.

-AR	-ER -IR
-ando	**-iendo**

e.g. ha**bl**ando
be**bi**endo
viv**iendo**

NB   leer – leyendo   oir – oyendo

It is used to describe how the main verb is performed.

pasamos los domingos **leyendo**	we spend our Sundays *reading*
nos quedamos en casa **oyendo** música	we stay at home *listening* to music
viene a casa **andando**	he comes home on foot (i.e. *walking*)

It is also used with **estar** to describe an action in progress.

estoy
está
estamos ⎫ hablando
están

I am
you are ⎫ talking (at this very moment)
etc.

NB   Estar + **-ando/-iendo** must *never* be used to refer to the future.

he's coming tomorrow	viene / va a venir	mañana
I'm going out at 8 o'clock	salgo / voy a salir	a las ocho

EJERCICIOS

I What questions would have prompted these answers?

¿Cómo se llama Vd.?   Yo me llamo Alicia Ríos.

1 .... Vivo en un piso en Madrid.
2 .... No tengo criada porque prefiero tener una asistenta.
3 .... Mi marido es arquitecto.
4 .... Mi comida preferida es la paella.
5 .... Vamos al campo en coche.
6 .... Cocino yo generalmente.
7 .... Voy a verle a las seis.

II Rewrite the following sentences along the lines of the example.

El hermano de Paco **es** arquitecto (**querer**).
El hermano de Paco **quiere ser** arquitecto.

1 No venimos antes de las ocho (poder).
....
2 Estoy en la oficina a las nueve (tener que).
....
3 Vamos al campo a andar todos los domingos (gustar).
....
4 Volvemos a casa muy tarde (soler).
....
5 Dolores se casa con Juan (ir a).
....
6 Dolores no se levanta antes de las diez (poder).
....
7 ¿Cocinan Vds. todos los días? (gustar).
....
8 No. Algunos días comemos en un restaurante (preferir).
....
9 No me quedo en casa este fin de semana (querer).
....
10 Cuando cocina Dolores yo como en un restaurante (preferir).
....

III Write sentences to show how various people spend their time, as in the example.

Alicia .... los fines de semana ...... oir música.
Alicia **pasa todos** los fines de semana **oyendo** música.

1 Nosotros .... los domingos .... pasear.
2 Mi hermano .... la mañana .... estudiar en casa.
3 El amigo de Paco .... los viernes .... beber en un bar.
4 Dolores .... la noche .... hablar con sus amigas.
5 La criada .... la tarde .... cocinar.
6 ¿Vds.............. el día .... trabajar en la oficina?
7 Yo no quiero......... el tiempo .... hacer ejercicios.
8 Alicia y su marido ...... los fines de semana ...... descansar y leer.

Mónica and Eladio are pupils of a large mixed school in the centre of Madrid

Carmen ¿Lleváis mucho tiempo en el colegio?
Mónica Sí. Llevamos nueve años en el colegio.
Carmen ¿Tú, Eladio? ¿Cuánto tiempo llevas?
Eladio Yo también llevo nueve años.
Carmen ¿Eso quiere decir que estáis en la misma clase?
Mónica Sí, porque es un colegio mixto. Hay chicos y chicas en la misma clase.
Carmen ¿A ti, Eladio, te gusta tener niñas como compañeras?
Eladio Sí, mucho.
Carmen ¿Y a ti, Mónica? ¿Te gusta estudiar con chicos?
Mónica Sí, a mí también me gusta.
Carmen Aquí en el colegio ¿qué horario tenéis?
Mónica Pues entramos a las ocho y media de la mañana y salimos a las dos. Luego volvemos a entrar a las cuatro y salimos a las siete.
Carmen Es un horario muy largo ¿no?
Eladio Se hace un poco duro, sí.
Carmen ¿Por la mañana trabajáis mucho o trabajáis más por la tarde?
Mónica Trabajamos más por la tarde porque nos mandan más deberes.
Carmen Entonces ¿cuándo hacéis los deberes?
Eladio Hacemos los deberes al salir del colegio por la tarde.
Carmen Y al mediodía tenéis dos horas, de dos a cuatro. ¿Qué hacéis en estas dos horas?
Mónica Pues comemos y, si vivimos cerca, tenemos tiempo para repasar un poco las lecciones.

Carmen Y los que viven lejos no pueden hacer nada ¿no? (No). Solamente comer (Sí). Porque ¿aquí no coméis en el colegio?

Mónica No, no comemos.

Carmen Decidme ¿qué asignaturas tenéis aquí?

Eladio Bueno, pues, hacemos historia, geografía, matemáticas, latín . . . muchas cosas. Luego también hacemos música, política, trabajos manuales, las niñas hacen costura, y luego todos en general hacemos deportes.

Carmen Entonces, mientras las niñas hacen costura ¿vosotros también lo hacéis?

Eladio No. Nosotros hacemos política y trabajos manuales.

Carmen ¿Tú crees que en tu clase son los chicos más inteligentes que las chicas o iguales?

Mónica Yo creo que los chicos son igual de inteligentes que las chicas. Hay unas chicas tontas y unos chicos tontos, y unas chicas inteligentes y unos chicos inteligentes.

Carmen Entonces ¿tú crees, Eladio, que los chicos son mejores en algo que las chicas?

Eladio Pues, sí. Yo creo que las chicas tienen más facilidad para los idiomas.

Carmen ¿Y qué deportes practicáis en el colegio?

Eladio Bueno, los chicos hacemos baloncesto y gimnasia sueca, nada más.

Carmen ¿Y vosotras?

Mónica Nosotras hacemos ping-pong, badminton, baloncesto, y gimnasia.

Carmen Entonces las chicas sois mejores deportistas que los chicos ¿no? (Sí.) ¡Por lo menos practicáis más deportes!

Mónica Sí, pero los chicos, los que practican, los hacen mejor.

*   *   *

Three more children at the same school air their views on male and female intelligence

Carmen ¿Lleváis mucho tiempo en el colegio?

María No, éste es mi primer año.

Antonio Yo dos años.

Carmen ¿Os gusta este colegio?

María Sí, mucho.

Carmen ¿A ti?

Antonio También.

Carmen Entonces vosotros ¿qué creéis? ¿Que las chicas son más o menos inteligentes que los chicos? Dime, María ¿tú, qué crees?

María Yo creo que las chicas en cosas son más inteligentes que los chicos, pero en otras cosas los chicos pues tienen más facilidad para esto como matemáticas en la parte de ciencias.

Carmen ¿Tú qué piensas Antonio?

Antonio Yo estoy de acuerdo, pero creo que cuando un chico es inteligente es casi normalmente más inteligente que una chica también inteligente.

Carmen ¿Estás de acuerdo, María?

María Yo, sí.

Carmen Tenemos aquí a otra niña nueva, compañera de Antonio y María, aunque es de un curso inferior. ¿Tú estás de acuerdo con esto Carmen?

27

Carmen-Elena No, no estoy de acuerdo con ello porque pienso que cuando una niña es inteligente y un niño es inteligente pueden ser igual. Son iguales porque la mente es igual.

Carmen Bueno, pues muchas gracias a los tres, y hasta otro día.

EXPRESIONES

volvemos a entrar	we come back
se hace un poco duro	it gets a bit hard
nos mandan más deberes	they set us more homework
al salir del colegio	when we finish school (for the day)
los que viven lejos	those who live far from the school
igual de inteligentes	just as intelligent
los chicos hacemos	we boys do . . .
los que practican los hacen mejor	they're better at the games they do play
las chicas en cosas son más inteligentes	girls are better at some things
para esto como matemáticas	for things like mathematics
en la parte de ciencias	on the science side

LA VIDA

Tuteo

Vd. and **Vds.** mean 'you' but there is another way of addressing people in Spanish (**el tuteo**) – namely **tú** and its plural **vosotros/vosotras**. **Tú** and **vosotros** are used instead of **Vd.** and **Vds.** among close friends, equals at work, when an older person is talking to a younger person or to children, and between close members of the family. It is always safe to address a child as **tú** (and more than one as **vosotros** or **vosotras**), even though he or she will probably address you as **Vd.** With people of your own age it is best to follow their lead. With older people, though, it is generally safer to call them **Vd.** unless they specifically ask you to do otherwise.

LA LENGUA

Llevar

Llevar (*to bring* or *carry*) can also be used to say *how long* something has been going on.

Llevo dos años ⎰ aquí / en este colegio / estudiando español ⎱   I have been ⎰ here / at this school / studying Spanish ⎱ for two years

¿Cuánto tiempo **llevas** en este colegio?   How long have you been at this school?

Tuteo

The familiar pronouns **tú** (singular) and **vosotros/vosotras** (plural) require special verb endings:

	-AR	-ER	-IR
tú	habl-**as**	beb-**es**	viv-**es**
vosotros/-as	habl-**áis**	beb-**éis**	viv-**ís**

Tú Mónica, ¿qué asignaturas **prefieres**?	Which subjects do you prefer, Monica?
Mónica y Eladio, ¿**estáis** en la misma clase?	... are you in the same form?

The command forms are as follows:

	-AR	-ER	-IR
tú	¡habla!	¡bebe!	¡escribe!
vosotros	¡hablad!	¡bebed!	¡escribid!

(**Decir** has an irregular **tú** form: **di** – decid)

Any object pronouns are attached to the end of these forms:

¡há**blame**!	speak to me
¡**dime**!	tell me (speaking to one person)
¡decid**me**!	tell me (speaking to more than one person)

Stem-changing verbs are affected only in the tú form.

Cerrar(ie) – ¡**cierra**! ¡**cerrad**!

Volver(ue) – ¡**vuelve**! ¡**volved**!

Object pronouns

The corresponding object pronouns are **te** and **os**.

¿**Te** gusta estudiar con chicos?	Do you like studying with boys?
Sí me gusta	Yes, I do.
¿**Os** gusta este colegio?	Do you like this school?
Sí, nos gusta.	Yes, we do.
Voy a ayudar**os** a hacer los deberes.	I'm going to help you to do your homework.

Possessive adjectives

singular	plural
tu	**tus**
vuestro/-a	**vuestros/-as**

¿Sales a veces ton **tus** amigos?	Do you sometimes go out with your friends?
¿Os gustan **vuestros** compañeros?	Do you like your class-mates?

Masculine plural

The feminine plurals **vosotras** and **nosotras** are used only when *all* the people referred to are feminine. If both men and women are referred to then the masculine plural is used. The same applies to all Spanish nouns that have a masculine and a feminine form.

los señores	the men, or the men and the women, or Mr. and Mrs.
los hermanos	brothers, brothers and sisters
vuestros amigos	your friends – either male, or male and female

Pronouns – stressed forms

mí	nosotros/-as
ti	vosotros/-as
Vd., él ella	Vds., ellos, ellas
ello	

Except for **mí** and **ti**, these forms are the same as the subject pronouns (see p. 7)

The stressed pronoun is used after prepositions (*en, con, para, de, a* etc.)

Hablamos **de él**	We are talking about him
¿Quieres venir **con nosotros**?	Do you want to come with us?
Vivimos **cerca de Vds.**	We live near you.
Ella viene a trabajar **para mí**	She comes to work for me

NB After **con**, **mí** and **ti** become **-migo** and **-tigo**.

Quiere hablar **conmigo**.	Voy a casarme **contigo**.

Just as **a Vd.**, **a él** (etc.) can reinforce the object pronoun **le** (chapter 1) these pronouns are also used with **a** for emphasis or to avoid ambiguity.

A ti Eladio ¿**te** gusta tener niñas como compañeras?	Eladio, do *you* like having girls as class-mates?
A mí también **me** gusta	*I* like it too

Ello refers not to a particular noun but to a whole idea.

estoy de acuerdo con $\begin{cases} \text{Vd.} \\ \text{él} \\ \text{ella} \\ \textbf{ello} \end{cases}$ I agree with $\begin{cases} \text{you} \\ \text{him} \\ \text{her} \\ \textit{that (i.e. what has just been said)} \end{cases}$

No . . . nada

When **nada** (nothing) follows the verb, **no** must precede it.

No pueden hacer **nada**	They can't do anything
No quieren **nada**	They don't want anything

Más . . . que, menos . . . que

To compare unequal things **más . . . que** (more than), and **menos . . . que** (less than) are used.

las chicas son **más** inteligentes **que** los chicos	girls are more intelligent than boys
Mónica tiene **más** hermanos **que** Eladio	Mónica has more brothers than Eladio

Que (1)

Que (*that*), when used with verbs of saying, believing, seeing etc. (e.g. **decir, creer, pensar, ver**) can never be omitted, as it often is in English.

¿Tú crees **que** los chicos son más inteligentes que las chicas?	Do you think (that) boys are more intelligent than girls?
Mónica dice **que** sale del colegio a las siete	Mónica says (that) she finishes school at 7 o'clock

EJERCICIOS

I Draw the appropriate conclusions, as in the example.

Yo paso mucho tiempo en casa de Pedro. **Me** gusta mucho estar con **él.**

1 Eladio pasa mucho tiempo en nuestra casa. . . . .
2 Juan pasa mucho tiempo en casa de María. . . . .
3 Vds. pasan mucho tiempo en casa de Paco y Alicia. . . . .
4 Mi marido pasa mucho tiempo en casa de su madre. . . . .
5 Dolores pasa mucho tiempo en tu casa. . . . .
6 Tú pasas mucho tiempo en mi casa. . . . .
7 Nosotros pasamos mucho tiempo en vuestra casa. . . . .
8 No vamos nunca a casa de Dolores. . . . .

II Rewrite the sentences using the appropriate forms of **tú** and **vosotros**.

1 Vd. trabaja por la tarde.   . . . .
2 ¿Les gusta a Vds. salir con sus amigos?   . . . .
3 María y Carmen ¿quieren Vds. venir conmigo?   . . . .
4 ¿Vd. se va al campo los fines de semana?   . . . .
5 No puedo hablar con Vd. ahora.   . . . .
6 ¿Vd. no va a comer en casa de su amiga?   . . . .
7 ¿Están Vds. de acuerdo con esto?   . . . .
8 Vds. van a casarse pronto ¿verdad?   . . . .
9 ¿A Vd. le gusta quedarse en casa los domingos? . . . .

III Complete the sentences as in the example.

Dolores va a quedarse aquí – esta ciudad **le** interesa.

1 Vds. ....
2 Vosotros ....
3 Mi marido ....
4 Mónica y Eladio ....
5 Yo ....
6 Paco ....
7 Dolores y yo ....
8 Tú ....
9 Carmen y María ....

IV Rompecabezas (brainteaser)

Provide the answers to the following:

a Eladio tiene dos hermanos; Mónica tiene tres hermanos más que Eladio y dos menos que Juan. ¿Cuántos hermanos tiene Juan? ......

b Eladio tiene dos años más que Mónica y cinco más que el hermano de Paco. Paco, que tiene ocho años, tiene dos años menos que su hermano. ¿Cuántos años tiene Mónica? ......

4

Two girls, both members of a Catholic youth club, talk about boy-friends, courtship and marriage

Carmen ¡Hola!

Chana ¡Hola!

Carmen ¿Cómo te llamas?

Chana Chana.

Carmen ¿Dónde estamos ahora, Chana?

Chana Estamos en un centro, o sea en una casa donde nos reunimos un grupo de chicos y chicas.

Carmen ¿Para qué?

Chana Para conocernos mejor, para hacer amistad, hablar sobre cosas que nos interesan, divertirnos, formarnos en una religión – la católica, y más cosas.

Carmen Bueno, vosotros tenéis este club, pero ¿cómo se conocen los chicos y las chicas que no van a clubs?

Chana Bueno, yo creo que una forma, o sea la forma que más se da para conocerse es por la presentación. Un grupo de amigos se presentan unos a otros y ya son más amigos, más cantidad de amigos.

Carmen ¿Y otra forma?

Chana Otra forma, pues, en un sitio donde se estudia, en una cafetería, por la calle, no sé . . . en muchos sitios.

Carmen Suponte Chana que estás en una cafetería. Estás sola y ves a un chico que quiere hablarte. Tú te das cuenta. ¿Qué te dice?

Chana Generalmente pondrá una disculpa para empezar una conversación.

Carmen ¿Qué disculpa?

Chana Por ejemplo 'Yo te conozco de algo'. 'Indícame dónde está tal cosa porque yo no soy de esta ciudad'. No sé.

Carmen ¿Tú eres estudiante o trabajas, Chana?

Chana Sí, estudio.

Carmen ¿Qué estudias?

Chana Medicina.

Carmen ¿Tú te consideras inteligente . . . con suficiente inteligencia para estudiar una carrera universitaria?

Chana Sí, sí.

Carmen ¿Piensas que eres más o menos inteligente que tus compañeros?

Chana O sea . . . pienso que hay varios niveles. Yo estoy en el mediano.

*　　*　　*

Carmen Cuando sales sola con un chico ¿dónde vais?

Chana Bueno, vamos a casi todos los sitios donde . . . donde puede ir todo el mundo. Vamos a bailar, a una cafetería a hablar, a pasear, si tiene coche salimos fuera en excursión . . .

Carmen Perdona . . . ¿vais solos de excursión?

Chana Sí. ¿Por qué no? Vamos también al teatro, al cine, nos reunimos con otro grupo de amigos, en parejas, no sé.

Carmen Dime ¿tienes que volver a casa a una hora determinada?
Chana Sí. A las diez y media de la noche.
Carmen Entonces no puedes ir al teatro.
Chana Sí, hay funciones de tarde.
Carmen Pero terminan a las diez y media. ¿Cómo llegas a casa?
Chana No. Terminan todas antes.
Carmen ¿No tienes un permiso especial para salir más tarde con amigos o con amigas?
Chana En ocasiones especiales lo puedo conseguir. Con permiso yo digo dónde voy a ir, con quién voy a estar, y mis padres me dejan.
Carmen Entonces, algún día te vas a casar. (Sí) Dime Chana, ¿qué cualidades esperas en tu marido ideal? ¿En tu futuro marido ideal?
Chana Bueno, antes, cuando era más joven, yo tenía un patrón de hombre ideal para casarme. Pero lo he pensado mejor y he visto que es un poco absurdo. Ahora me he dado cuenta de que, cuando se conoce a un chico que te gusta, algo te hace quererle y diferenciarle de los otros. Y luego lo que resta es amarle y aceptarle . . . tal como es.
Carmen ¿Aceptar sus defectos y sus cualidades?
Chana ¡Eso es! Sus defectos y sus cualidades.
Carmen ¿Y si cree que los hombres son superiores a las mujeres?
Chana Ese hombre nunca será mi marido.
Carmen Muchas gracias, Chana. Hasta pronto.

*   *   *

Carmen ¿Cuánto tiempo hace que sois novios?
Novia Diez meses.
Carmen ¿Cuántos años tenéis los dos?
Novia Veinte.
Carmen ¿Y cuándo vais a casaros?
Novia Dentro de tres o cuatro años.
Carmen ¿Y por qué tanto tiempo?
Novia Bueno, él tiene que hacer la "mili" y tiene que terminar los estudios.
Carmen ¿Qué es eso de la mili?
Novia Bueno, esto es el servicio militar que hacen los chicos aquí en España. Sirven a la patria.
Carmen ¿Ese es el único problema que tenéis?
Novia Bueno, no. No es el único. El más principal es el dinero para comprarnos un piso.
Carmen ¿Pensáis vivir en Madrid?
Novia Sí. De momento sí, porque tenemos la familia aquí.
Carmen ¿Pero vais a vivir con la familia o en un piso que vais a comprar?
Novia No. Queremos comprarnos el piso y estar cerca de la familia también.
Carmen ¿Cómo es tu piso ideal?
Novia Mi piso ideal tiene que tener tres habitaciones, el baño, la cocina, en fin lo imprescindible.
Carmen ¿Vais a tener criada?
Novia Si nos lo permite el sueldo, si.
Carmen ¿Tú piensas seguir trabajando depúes del matrimonio?

Novia   Bueno, yo en esto no soy muy partidaria porque yo soy muy casera y me gusta que, cuando venga mi marido a casa, estar ya con la comida toda preparada . . . en fin si en realidad necesitamos el dinero, no me importaría trabajar durante los primeros años.

Carmen   ¿Vais a tener muchos niños?

Novia   Pues a mí particularmente me gustan mucho los niños. Quisiera tener de cuatro o cinco niños.

Carmen   ¿Está tu novio de acuerdo con eso?

Novia   ¡Oh si!

Carmen   Pues, menos mal, ¿eh?

EXPRESIONES

donde nos reunimos un grupo de chicos y chicas	where a group of us boys and girls get together
la forma que más se da para conocerse	the most usual way of getting to know people
donde se estudia	where people study
suponte	imagine
pondrá una disculpa	he'll find an excuse
yo te conozco de algo	I know you from somewhere (i.e. haven't I seen you somewhere before?)
indícame dónde está tal cosa	can you tell me where something or other is?
salimos fuera en excursión	we go out for a drive
lo puedo conseguir	I can get it
¿qué cualidades esperas?	what qualities are you looking for?
cuando era más joven	when I was younger
tenía un patrón de hombre ideal	I had a definite notion of the ideal man
lo he pensado mejor	I've had second thoughts
lo que resta	all that remains
tal como es	just as he is
ese hombre nunca será mi marido	a man like that will never be my husband
¿cuánto tiempo hace que sois novios?	how long have you been going steady?
¿qué es eso de la 'mili'?	what's all that about the 'mili'?
de momento	for the time being
en fin, lo imprescindible	in fact all the essentials
si nos lo permite el sueldo	if our income allows it
cuando venga mi marido a casa	when my husband gets home
estar ya con la comida preparada	to have the meal ready and waiting
¡menos mal!	it's just as well!

LA VIDA

Novio/novia

A *novio* or *novia* is rather more than just a boyfriend or girlfriend; to call someone your *novio* implies that you intend eventually to be married. Spanish has no precise equivalent for boyfriend/girlfriend – a relationship which may be casual or not, but which is not exactly conveyed by the simple *amigo/amiga*. If you want to play safe this is the term you have to use; if you want people to jump to conclusions, (or don't mind) then *novio/novia* will do!

La mili

'*La mili*' is the colloquial term for *servicio militar* (National service), which all young men in Spain have to do in their late teens or early twenties. Careers are inconveniently interrupted while a boy spends 18 months in one of the 3 armed forces. Students, though, are often allowed to do their *servicio militar* during the long summer vacations, since their studies can take up to 5 years as it is.

Girls too may be required to do some kind of social service (*servicio social*) for a period of up to 6 months and which can consist of anything from looking after babies in poor families to helping in libraries. They are luckier than the boys, in that the *servicio social* may be done on a part-time basis to fit in with their full-time occupations or studies. Some girls are exempted – such as nurses, *criadas*, or girls with 7 or more younger brothers and sisters!

LA LENGUA

Que (2)

Que introduces a further description of a noun just mentioned.

¿Qué hacen los chicos?	What do the boys do?
¿Qué hacen los chicos **que** no van a clubs?	What do the boys who don't go to clubs do?
Ves a un chico	You see a boy
Ves a un chico **que** quiere hablarte	You see a boy who wants to talk to you

Me gusta mucho tu piso	I like your flat very much
Me gusta mucho el piso **que** has comprado	I like the flat you have bought very much

After a preposition, when referring to people (but not to things), **que** becomes **quien** or **quienes**.

el club **de que** hablamos	the club we are talking about

BUT

yo digo **con quien** voy a estar	I say who I'm going to be with
los chicos **con quienes** salgo	the boys I am going out with

The same applies to questions.

¿**De qué** habla Vd.?	What are you talking about?
¿**De quién** habla Vd.?	Whom are you talking about?
¿**Para qué** es este vino?	What is this wine for?
¿**Para quién** es este vino?	Who is this wine for?

El que, los que, etc.

The articles **el**, **la**, **los**, **las** can replace nouns already mentioned or understood, and combine with **que** to give

el que   **la que**   **los que**   **las que**

¿Vienen todos los chicos?	Are all the boys coming?
No. **Los que** hacen la 'mili' no pueden venir	No. The ones doing national service can't come.
¿Qué ciudad le gusta más?	Which town do you like most?
La que más me gusta es Sevilla	The one I like most is Seville
¿Qué cine? ¿**El que** está en el centro?	Which cinema? The one which is in the centre?

The perfect tense

The perfect tense is formed by using the present tense of **haber** with the past participle.

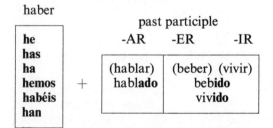

Some exceptions: ver – **visto**   hacer – **hecho**
abrir – **abierto**   decir – **dicho**

It is used to talk about things that *have happened* in the recent past.

Ha hablado con Juan	He has spoken to Juan
He visto que es un poco absurdo	I've realised that it's a bit absurd
Hemos estado con nuestros amigos	We've been with our friends

Any pronoun or **no** must precede both parts of the verb.

Le hemos visto esta mañana	We've seen him this morning
No lo ha comido todavía	He hasn't eaten it yet

The same word order applies to reflexive verbs.

Me he dado cuenta	I've realised
No se han ido todavía	They haven't left yet

¿Para qué?

¿**por qué**? means *why* (for what reason), ¿**para qué**? *why* (for what purpose).

The answer to ¿**para qué**? will often begin **para** plus an infinitive.

¿Para qué venís a este club?	Why do you come to this club?
Para hacer amistad	To make friends

Other examples of **para**+infinitive:

Necesitamos dinero **para comprarnos** un piso	We need money to buy ourselves a flat
Tengo un permiso especial **para salir** más tarde	I've got special permission to go out later

Reflexives

With some verbs the reflexive pronoun may mean 'each other' as well as 'oneself'.

Para conocer**nos** mejor	To get to know each other/ourselves better

This possible ambiguity can be avoided by adding **unos a otros**.

Se presentan	They introduce themselves/each other

BUT

Se presentan **unos a otros**	They introduce each other
Se conocen **unos a otros**	They know each other

Se puede . . .

Se is often used not with a reflexive meaning, but corresponding to the impersonal 'you', or 'one' or 'people in general'.

el sitio donde **se** estudia	the place where *one* studies (i.e. people in general)
cuando **se** conoce a un chico	when you get to know a boy
aquí **se** puede bailar	you can dance here

(More detailed notes on this topic – p. 59.)

O sea . . .

Like **en fin**, **o sea** is used as a fill-in phrase, much as we would say 'well . . .', 'I mean . . .', 'that is . . .', 'or rather . . .' in English.

EJERCICIOS

I Turn these sentences into reported speech by using **que**.

¿Qué dice Chana?
'Soy estudiante de medicina.' Dice que es estudiante de medicina.

1 ¿Qué cree Carmen?
'Todos los teatros terminan a las
10 y media.' ....

2 ¿Qué dice la novia?
'Voy a casarme con mi novio
dentro de 3 o 4 años'. ....

3 ¿Qué ha visto Chana?
'Es absurdo buscar a un hombre
ideal.' ....

4 ¿Qué dicen los padres de Chana?
'Puedes salir sola con chicos.' ....

5 ¿Qué piensan los novios?
'Vamos a vivir en Madrid cerca
de nuestras familias.' ....

6 ¿Qué dicen los chicos españoles?
'No nos gusta la mili.' ....

II Reply, following the pattern of the example.

¿Vds. van a salir hoy? Ya hemos salido esta mañana.

1 ¿Sus amigos van a venir hoy? ....
2 ¿Las clases van a terminar hoy? ....
3 ¿Vosotros vais a reuniros hoy? ....
4 ¿Vds. van a hablarse hoy? ....
5 ¿Tu novia va a llegar hoy? ....
6 ¿Vd. va a ayudarle hoy? ....

III Chana wants special permission to stay out late. On the left is what she says to her
mother – but it's a pack of lies – on the right is what she has actually done. Complete all the sentences as in the example.

'Voy a salir con Dolores.' En realidad **no ha salido** con Dolores.

1 'Vamos a ir a la biblioteca.' ....
2 'Teresa va a estudiar con nosotras.' ....
3 'No voy a ver a Pedro.' ....
4 'Voy a quedarme en Madrid.' ....
5 'No vamos a bailar.' ....
6 'No voy a beber mucho.' ....
7 'Voy a estar en casa antes de las
diez.' ....

Carmen's house late one afternoon

Pepe ¡Hola, Carmen! ¿Cómo estás?

Carmen Muy bien, Pepe ¿y tú?

Pepe Estupendo. ¡Encantado de verte!

Carmen Yo estoy terriblemente ocupada hoy porque tengo esta noche invitados a cenar, y tengo que cocinar y hacer la compra todavía.

Pepe ¿Y quiénes vienen?

Carmen Pues, mira. Tengo a un colega de mi marido, y su esposa, una compañera mía de universidad y su marido, y por supuesto mi marido y yo.

Pepe ¿Es que es una fiesta familiar?

Carmen ¡Claro! ¡Fíjate, es mi santo!

Pepe ¡Felicidades!

Carmen Muchas gracias, Pepe.

Pepe Bueno. Dime, ¿y qué vas a prepararles para cenar?

Carmen ¡ Pues, mira! No voy a preparar mucho porque no tengo muchas ganas de estar en la cocina. Entonces voy a darles primero unos aperitivos con chorizo, aceitunas, y pinchos de tortilla española con mucha cebolla, para beber, pues . . . creo que les voy a ofrecer manzanilla y vermút y quizá un jerez seco – eso de aperitivo. Luego les voy a dar un pescado, despúes unas chuletitas de cordero y, para terminar, un flan.

Pepe Mm. Todo, todo muy muy rico. Pero dime, ¿qué clase de pescado?

Carmen Pues, fíjate, todavía no lo sé porque tengo que hacer la compra, tengo que ir al mercado y voy a mirar qué pescado está fresco.

Pepe ¿Y a qué hora vienen tus invitados?

Carmen Pues, entre las nueve y las diez. ¿Quieres venir a cenar con nosotros, Pepe?

Pepe	No puedo.. Muchas gracias, pero es que tengo una cita especial.
Carmen	¡Ah! Comprendo.
Pepe	Pero ¿puedo acompañarte al mercado?
Carmen	¡Estupendo! ¡Formidable! Así me ayudas a traerlo.
Pepe	Muy bien. ¡Vamos!

The fish-stall of a large indoor market in Chamartín, a northern suburb of Madrid

Carmen	¡Buenas tardes, Juan José!
Pescadero	¡Buenas tardes, señora!
Carmen	¿Qué pescado bueno tiene hoy?
Pescadero	Pues tiene Vd. merluza muy buena, tiene salmonetes, lenguados, sardinas y boquerones.
Carmen	Pero ¿a cómo está la merluza? ¿Siempre tan cara?
Pescadero	A doscientas treinta pesetas.
Carmen	Bueno, me pone seis rodajas un poco gruesas, porque las quiero para ponerlas en salsa verde y así no se me rompen.
Pescadero	¡De acuerdo! ¿Así le valen?
Carmen	Un poco más gordas.
Pescadero	¿Así?
Carmen	Así estupendo, Juanjo.
Pescadero	(*Weighing the fish*) Uno doscientos. (1 kilo, 200 gramos)
Carmen	¿Cuánto es eso?
Pescadero	Doscientas setenta y seis.
Carmen	Bueno. ¡Me cobra quinientas pesetas!
Pescadero	¡Cobrando a quinientas doscientas setenta y seis!
Jefe	¡Oído! ¡Vale!
Pescadero	¡Ahí tiene Vd. la vuelta!
Carmen	Muchas gracias. ¡Hasta mañana!
Todos	¡A Vd.! Adiós, buenas tardes.

* * *

Pepe	¿Está abierta la pescadería todos los días?
Pescadero	Todos los días está abierta . . . de nueve a dos de la mañana y de cinco a ocho de la tarde.
Pepe	Es decir que tiene desde las dos y media hasta las cinco, que abre de nuevo, tiempo para Vd.
Pescadero	Para comer y otras cosas, en fin, y descansar un poquito.
Pepe	¿Dónde compra Vd. el pescado que luego vende aquí?
Pescadero	En el mercado central de pescado. Tenemos que ir allí todos los días.
Pepe	¿A qué hora?
Pescadero	A las . . . de siete a siete y media.
Pepe	Y el pescado que Vd. vende ¿es fresco o congelado?
Pescadero	Fresco. En la tienda esta solamente vendemos fresco.
Pepe	Dígame. ¿Qué día se compra más?
Pescadero	Pues el día que más se suele vender es el viernes.
Pepe	¿Y el pescado más caro?
Pescadero	La merluza.

Pepe ¿Y cómo es que, estando Madrid tan lejos del mar, hay aquí en esta pescadería todos los días pescado fresco?

Pescadero Pues porque aquí en esta pescadería se compran los pescados que vienen de los barcos pequeños que los descargan en el día y los exportan con camiones por la noche.

Pepe Es decir que un madrileño puede comer pescado pescado el día anterior.

Pescadero Exactamente. Un día pescarlo, y al otro día comerlo.

Back at Carmen's house

Pepe Bueno, Carmen, ya tienes el pescado. ¿Cómo vas a prepararlo?

Carmen Pues, mira, voy a poner la merluza en salsa verde.

Pepe ¿Nos puedes decir cómo es la receta?

Carmen Sí. Es tan fácil que tú mismo puedes hacerla. Pongo en una cazuela de barro seis rodajas de merluza con un decilitro de aceite, dos dientes de ajo, una hoja de laurel, un poco de sal, una rama de perejil, 100 gramos de gambas peladas y 100 gramos de guisantes. Esto lo pongo a cocer muy lentamente durante media hora y cuando voy a servirlo a la mesa, lo adorno con unas puntas de espárragos. Y eso es todo.

Pepe ¿Y qué vas a darles para beber?

Carmen Pues con el pescado un vino blanco de rioja frío y con la carne, con las chuletitas de cordero, les voy a dar un tinto con mucho cuerpo.

Pepe Muy bien, Carmen. Todo muy bueno. Te deseo una noche muy feliz, y otra vez ¡felicidades!

Carmen Muchas gracias, Pepe.

EXPRESIONES

una compañera mía de universidad	a university friend of mine
¿es que es una fiesta familiar?	is it a special family celebration then?
¡fíjate!	as a matter of fact
eso de aperitivo	that takes care of the appetizers
¿a cómo está la merluza?	what's the price of hake?
¿siempre tan cara?	still as dear as ever?
me pone seis rodajas un poco gruesas	can you give me 6 fairly thick slices
así no se me rompen	so they won't break
¡me cobra quinientas pesetas!	here's 500!
Cobrando a 500,276	276 pesetas from 500! (called out to cashier)
que abre de nuevo	when you open again
en la tienda esta	in this shop
el día que más se suele vender	the day we usually sell most
se compran los pescados	we buy fish
pescado pescado el día anterior	fish caught the day before
un día pescarlo, y al otro día comerlo	one day it's caught, the next it's eaten
un tinto con mucho cuerpo	a full-bodied red wine

LA VIDA

El santo

Spaniards in a sense have two birthdays – their actual birthday or *cumpleaños*, and their saint's day, or *santo*. Each day of the year is the day of one or more saints and since all Spaniards are named after a saint they celebrate the relevant saint's day. Thus anyone called Carmen would celebrate on 16th July, *el día de Carmen*. It's hard luck on those named after the saint on whose day they are born – they have to make do with a combined *cumpleaños* and *santo* – rather like being born on Christmas day!

El mercado

When Carmen and Pepe talk about the *mercado* they do not mean an open street market. Much more common in Spain is the covered market, a large building housing row upon row of stalls selling every kind of food: fish, meat, vegetables and fruit arrive daily and are sold under the same roof, along with preserved meats, sausage, cheese and eggs.

Carmen's recipe

Carmen's recipe makes use of a kind of hake (*merluza*), a very popular though expensive fish in Spain. (At 230 pesetas per kilo it is about $72\frac{1}{2}$ pence per pound.) Here is the recipe as she gives it:

Merluza en salsa verde

Hake in green sauce
(for 6 people)

seis rodajas de merluza	6 slices of hake
un decilitro de aceite	1/5th pint of oil
una hoja de laurel	one bay leaf
dos dientes de ajo	2 cloves of garlic
un poco de sal	pinch of salt
una rama de perejil	a sprig of parsley
100 gramos de gambas peladas	100 grams (3–4 oz.) of shelled prawns
100 gramos de guisantes	100 grams of peas
unas puntas de espárragos	asparagus tips

Lay the pieces of hake in a fireproof casserole with the bay leaf, garlic and chopped parsley, and sprinkle with salt. Scatter the prawns and peas over the whole dish. Add the oil and cook very slowly for half an hour. Garnish with asparagus just before serving.

For a cheaper meal haddock or cod can be used instead of hake.

In addition to the hake, Carmen's guests can look forward to the following:

chorizo	the most common preserved sausage found in Spain, made of chopped pork, garlic, herbs and a kind of chili
aceitunas	green or black olives which may or may not be pitted
tortilla española	Spanish omelette made with potatoes and onion. As an *hors d'oeuvre* it is eaten cold and usually cut into small pieces – **pinchos**.
manzanilla	a light aperitive wine of the sherry type
chuletitas de cordero	small lamb chops – small because lamb is eaten very young in Spain
flan	crême caramel – the most common Spanish dessert and found on every menu
un vino de rioja	La Rioja is a wine-producing area around Logroño in north-east Spain

LA LENGUA

Lo, la, los, las

Pronouns referring to *people* are set out in Chapter 1 (p. 15). To refer to *things* the pronouns to use are

	masculine	feminine
singular	**lo**	**la**
plural	**los**	**las**

The pronouns agree with the nouns they stand for.

¿Dónde compras el pescado?	Where do you buy the fish?
Lo compro en el mercado.	I buy *it* in the market.
¿Cómo es la receta?	What is the recipe like?
Tú mismo puedes hacer**la**	Even you can make *it*
¿Dónde están los aperitivos?	Where are the appetizers?
Los he puesto en la mesa	I've put *them* on the table
Quiero seis rodajas de merluza	I want six slices of hake
Voy a servir**las** en salsa verde	I'm going to serve *them* in green sauce

Lo can also refer not to a particular noun but to a whole idea.

¿Has lavado el coche?	Have you washed the car?
No. Voy a hacer**lo** mañana	No. I'm going to do it (i.e. wash the car) tomorrow
¿Qué vas a preparar?	What are you going to prepare?
Todavía no **lo** sé	I don't know yet (i.e. what I'm going to cook)
Dicen que Dolores es inteligente pero no **lo** creo	They say Dolores is intelligent but I don't believe it (i.e. that she's intelligent)

Estar + past participle

The past participle is frequently used with **estar**. In this case it is an adjective and must agree with the noun it refers to.

La pescadería **está abierta** todos los días	The fish shop is open every day
Estoy encantado de conocerte	I'm delighted to know you

Like all adjectives, the past participle does not *have* to follow immediately after **estar** (as it does with **haber** in the perfect tense).

Yo **estoy** terriblemente **ocupada**	I'm terribly busy
Está muy bien **hecho**	It's very well done
Están todos muy **cansados**	They are all very tired

Emphatic possessives

mi amiga	my friend
una amiga **mía**	a friend of mine/one of my friends

As well as the possessive adjectives **mi**, **tu**, **su** etc. (p. 16) there is a set of emphatic possessives equivalent to the English *mine*, *of mine*, etc.

mío	mía	míos	mías
tuyo	-a	-os	-as
suyo	-a	-os	-as
nuestro	-a	-os	-as
vuestro	-a	-os	-as
suyo	-a	-os	-as

Used on their own, these forms must take the definite article.

Me gusta mucho esta casa	I like this house very much
La mía es más pequeña	*Mine* is smaller
¿Podemos ir en su coche?	Can we go in your car?
El nuestro está en el garaje	Our's is in the garage

But when they *follow* the noun, or come immediately after **ser**, the article is omitted.

una compañera **mía**	a friend of mine
unos colegas **suyos**	some colleagues of his/hers/yours/theirs
este pescado es **mío**	this fish is mine
la casa es **tuya**	the house is yours

EJERCICIOS

I Some people are always putting things off till later. Answer the questions along the line of the example.

¿Ha lavado Vd. el coche? No. **Voy a** lavar**lo** mañana.
(mañana)

1 ¿Ha comprado Vd. la merluza?
(esta tarde) ....

2 ¿Ha cocido Vd. los guisantes?
(más tarde) ....

3 ¿Ha comido Vd. las aceitunas?
(mañana) ....
4. ¿Ha leído Vd. este libro? (este
fin de semana) ....
5 ¿Ha bebido Vd. el jerez? (en
seguida) ....
6 ¿Ha visto Vd. la nueva
cafetería? (el viernes) ....
7 ¿Ha preparado Vd. las
chuletitas? (ahora) ....
8 ¿Ha hecho Vd. el servicio
militar? (el año que viene) ....

II You have to say your car, flat etc. is bigger, better etc. than the one you are
asked about.

¿Este coche es suyo? (nuevo)   no, **el mío** es más nuevo que **éste**.

1 ¿Esta casa es suya? (grande) ....
2 ¿Este niño es suyo? (gordo) ....
3 ¿Este piso es suyo? (moderno) ....
4 ¿Estas chicas son amigas suyas?
(joven) ....
5 ¿Estos libros son suyos?
(interesante) ....
6 ¿Este coche es suyo?
(pequeño) ....
7 ¿Este trabajo es suyo? (mejor) ....

III Fit the past participle of each of the following verbs into the blanks as appropriate.
Each verb should be used *once only*, and some of them must agree!

comprar, ayudar, preparar, llegar, aceptar, estar, hacer, invitar, ocupar.

Los amigos de Carmen han ...... para celebrar su santo. Para ellos Carmen
ha ...... varios platos, entre ellos uno que está ...... de pescado. Ha ......
el pescado en el mercado y ha ...... todo el día ...... en la cocina preparando
la comida. Su amigo Pepe le ha ...... a traer el pescado y él y una amiga suya
están ...... a la cena. Pero no han ...... porque tienen una cita especial.

IV Here are some of the things that went to make up Carmen's dinner – but with
the items all jumbled up. Re-order the *food* to correspond with the correct
quantity.

1 un decilitro   de ajo   ....
2 una rama   de merluza   ....
3 seis rodajas   de laurel   ....
4 dos dientes   de perejil   ....
5 seis chuletitas   de vino   ....
6 una hoja   de aceite   ....

y con todo esto ...
7 un gran vaso   de cordero   ....

Velázquez: 'Las Meninas', Prado, Madrid

Señorita Rocío Arnáez is a curator in the Prado. Here she talks about two paintings by Velázquez and Goya

Pepe La señorita Arnáez es conservadora de pinturas del Museo del Prado de Madrid. Este museo es tan grande que necesitamos varios días para ver todas sus obras. Por eso ¿puede Vd. describirnos el contenido del museo?

Srta. Arnáez El Museo del Prado fue construído en el siglo dieciocho. Es por tanto un edificio de estilo neoclásico. Las principales escuelas de pintura del mundo se encuentran bien representadas en dicho museo, desde los siglos XII al XVIII inclusive. Naturalmente la pintura española, la pintura flamenca, la pintura italiana, la pintura alemana, y también tenemos dos salas dedicadas a la pintura inglesa.

Pepe ¿Podemos ver algunos cuadros?

Srta. Arnáez ¿Cómo no?

* * *

Pepe Ahora estamos frente a un cuadro enorme. ¿Puede Vd. describirlo?

Srta. Arnáez Se trata del cuadro de 'Las Meninas' de Velázquez. Este cuadro se llamó al principio 'La Familia Real'. 'Las Meninas' es un nombre portugués que quiere decir 'damas de honor'. El cuadro se compone de varios personajes. A la izquierda, en primer término, el pintor Velázquez, que está pintando al rey Felipe IV y a la reina Mariana de Austria, que aparecen reflejados en el espejo del fondo. También en primer término en el centro de la composición, la Infanta Margarita acompañada de las dos Meninas o damas de honor, y a la derecha dos enanos que juegan con un perro. En segundo término a la derecha una dama vestida de monja y un caballero. Al fondo un caballero, de perfil, debajo de una puerta, se aleja de la composición. En este cuadro es muy importante la perspectiva aérea que logró Velázquez. Se trata de la profundidad. Esto lo consigue por tres planos de luz, sombra y luz otra vez al fondo.

Pepe El pintor tiene una cruz pintada sobre su pecho. ¿Significa algo esto?

Srta. Arnáez Sí, es la cruz de la Orden de Santiago, que el rey, Felipe IV, concedió a Velázquez porque le gustó mucho este magnífico cuadro. Y algunos dicen que fue el mismo rey el que la pintó.

Pepe Señorita, en esta sala hay un gran espejo. ¿Para qué?

Srta. Arnáez Para reflejar el cuadro y poder ver las tres dimensiones o la profundidad.

* * *

Pepe Ahora estamos frente a un cuadro del gran pintor español Francisco de Goya y Lucientes, o sea Goya. ¿Quiere Vd. hablarnos de este cuadro?

Srta. Arnáez Sí. Se trata del cuadro llamado 'La merienda' pintado en 1776, es decir en la primera época de Goya – una época alegre, juvenil, los cuadros tienen colores claros y llenos de vida. Se representa una típica costumbre española llamada 'la merienda'. Es una costumbre popular. La gente de las ciudades sale por las tardes para comer y beber en el campo. Voy a describir los personajes del cuadro. A la izquierda vemos a cinco caballeros bebiendo, comiendo y fumando. Los alimentos son queso, carne, vino, pan. De pie a la derecha aparece una vendedora de naranjas. Vemos sobre el brazo derecho un cesto lleno de naranjas. Y a la derecha también un perro. En el fondo otros personajes, el río de Madrid, llamado Manzanares, y un fondo de árboles.

Pepe ¿Algo más?

Goya: 'La merienda', Prado, Madrid

Srta. Arnáez Es interesante ver la moda del siglo XVIII en estos personajes, llamada 'moda goyesca'.

Pepe ¿Y qué importancia tiene este cuadro en la historia del arte mundial?

Srta. Arnáez Es un cuadro espontáneo, lleno de vida, de naturalidad, todo esto dentro de un periodo en que la pintura es fría y académica. Porque nos encontramos en el periodo de pintura neoclásica. Es decir que Goya tiene una gran personalidad porque se libera de estas reglas neoclásicas.

Pepe Vd. que es especialista en arte, díganos ¿qué pintor prefiere?

Srta. Arnáez Creo que Velázquez.

Pepe ¿Por qué?

Srta. Arnáez Por su espontaneidad y su naturalidad.

EXPRESIONES

se encuentran bien representadas	are well represented
se trata del cuadro	we are dealing with the painting
el cuadro se compone de varios personajes	there are several characters in this picture
en primer término	in the foreground
en segundo término	in the middle ground
al fondo	at the back
vestida de monja	dressed as a nun
que logró Velázquez	that Velázquez achieved
se trata de la profundidad	it's all a matter of depth
se representa	it depicts
de pie	standing
Vd. que es especialista en arte	as an art expert

LA VIDA

El museo del Prado

The Prado, in Madrid, is one of the world's great art galleries. It has well over 3,000 paintings, among them many royal collections, and is particularly famous for its collections of the Spanish painters Velázquez, Goya and El Greco.

Velázquez and Goya

Velázquez (1599–1660) was Royal painter at the court of Felipe IV and painted many portraits of the Royal family and members of the court. *Las Meninas* is perhaps his most famous painting. It is hung in a room apart which is always packed with visitors, and a mirror set at 45° on the wall facing the work gives an extraordinary three-dimensional effect. It is not uncommon, in fact, to see more visitors looking at the reflection in the mirror than at the painting itself.

51

*Goya: Detail from
a self-portrait*

Goya (1746–1828) was a painter of violent contrasts, his art dramatically affected by events in his personal life. *La merienda* is a painting from one of his earlier, happier periods, as are his tapestry cartoons and religious frescoes. Later in life, though, his work included horrific scenes of execution and bloodshed witnessed during the Napoleonic invasion of Spain in 1808.

La merienda

The title given to Goya's painting refers to the afternoon picnic taken in the countryside by people from the nearby towns. But the word *merienda* has a more common use: it refers to the early evening snack with which many Spaniards sustain themselves in the long gap between lunch and supper. *La merienda* might consist of coffee and cakes while out shopping, or of bread and *chorizo* at home, but whatever it is, the snack is always informal, rather like our morning 'elevenses'.

LA LENGUA

Past participle as an adjective

1 The past participle is used as an adjective not only with **estar** (p. 45) but with a number of other verbs.

Las principales escuelas **se encuentran** bien **representadas**	The main schools are (lit. find themselves) well represented
Aparecen reflejados en el espejo del fondo	They appear reflected in the mirror at the back
El pintor **tiene** una cruz **pintada** sobre su pecho	The artist has a cross painted on his chest
Tenemos dos salas **dedicadas** a la pintura inglesa	We have two rooms devoted to English painting

2 It may also be used with **ser**. The difference between **ser**+past participle and **estar**+past participle is that **ser** conveys the idea of an action actually performed by someone – whether this person is mentioned or not.

este cuadro **fue pintado** por Velázquez	this picture was painted by Velázquez
el Prado **fue construído** en el siglo XVIII	the Prado was built in the eighteenth century

While **estar**+past participle describes not an action but a state.

el edificio **está construído** de madera	the building is built of wood
el cuadro **está pintado** en colores claros	the picture is painted in light colours

3 The past participle can be used alone, like any other adjective.

A la derecha una dama **vestida** de monja	on the right a woman dressed as a nun
se trata del cuadro **llamado** 'La merienda'	we are concerned with the painting called 'La merienda'

The Preterite

This tense is used when you refer to events which were completed at a particular point in the past, and which are considered over and done with, no matter how long they went on.

Regular preterite endings:

	-AR		-ER/-IR
	-é		-í
	-aste		-iste
habl-	-ó	beb-	-ió
	-amos	viv-	-imos
	-asteis		-isteis
	-aron		-ieron

Ser and **ir** have the same irregular preterite: **fui, fuiste, fue, fuimos, fuisteis, fueron**. Other verbs with irregular preterites include **hacer, dar, estar, venir, tener, haber, decir**. (See verb chart p. 84.)

Este cuadro **se llamó** al principio 'La Familia Real'	This picture was at first called 'The Royal Family'
Goya y Velázquez **pintaron** muchos cuadros	Goya and Velázquez painted many pictures
Le **gustó** mucho su visita al Prado	He liked his visit to the Prado very much
Fue el mismo rey el que la **pintó**	It was the king himself who painted it

Some past time expressions

hace un año, un mes, dos semanas etc.	a year, a month, two weeks *ago*, etc.
el año pasado; la semana pasada	last year; last week
ayer	yesterday
anteayer	the day before yesterday
anoche	last night

Ordinal numbers (first, second etc.)

primero*	**sexto**
segundo	**séptimo**
tercero*	**octavo**
cuarto	**noveno**
quinto	**décimo**

These agree, like all adjectives, with the noun they refer to:

el **segundo** cuadro	the second picture
los **primeros** días de abril	the first days of April

*Primero and **tercero** are shortened to **primer** and **tercer** immediately before a masculine singular noun:

el **primer** cuadro	the first picture
el **tercer** chico	the third boy

BUT

este cuadro es el **primero** que pintó Velázquez	this picture is the first that Velázquez painted

Dates

Months of the year

enero, febrero, marzo, abril, mayo, junio, julio, agosto, septiembre, octubre, noviembre, diciembre.

In dates the cardinal numbers are used (see p. 9):

el **dos** de mayo	2nd May
el **quince** de enero	15th January
el **treinta y uno** de julio	31st July

The only exception is the *first* day of the month:

el **primero** de febrero	1st February

With years the date is expressed not in hundreds (seventeen hundred etc.) but in *thousands* and hundreds:

mil setecientos setenta y seis	1776
mil novecientos setenta y dos	1972

NB hoy es el primero de junio **de** mil ochocientos tres   today is 1st June 1803

EJERCICIOS

I Fill in the blanks with the appropriate form of the preterite. (NB Irregular preterites pp. 84/85)

No vamos a ir al Prado hoy porque **fuimos** ayer.

1 No quieren salir con él mañana porque . . . . . . la semana pasada.
2 No vas a verle hoy ¿verdad? porque le . . . . . . anteayer.
3 No voy a visitarla hoy porque la . . . . . . ayer.
4 No quieren venir hoy porque . . . . . . hace un mes.
5 Ahora viven en Segovia pero antes . . . . . . 3 años en Madrid.
6 No podemos beber ahora porque . . . . . . mucho anoche.
7 Ahora no pinta mucho pero hace unos años . . . . . . unos cuadros magníficos.
8 No va a llamarme hoy porque me . . . . . . anoche.

II ¿A cuántos estamos? What date is it?

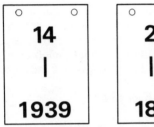   

III Write these dates in figures.

1 el once de mayo de mil quinientos veinticinco. . . . .
. . . .
2 el diecinueve de diciembre de mil novecientos treinta y tres. . . . .
. . . .
3 el diez de noviembre de mil ochocientos siete. . . . .
. . . .
4 el veinticuatro de abril de mil seiscientos dieciséis. . . . .
. . . .

Piti Gascón describes a typical student's day in Spain and what she misses most in America, where she now teaches Spanish

Srta. Gascon En España sólo hay clase por las mañanas y normalmente como la Universidad está muy lejos del lugar donde se vive, se levanta uno a las siete y media – es una hora o una hora y media de trayecto hasta llegar a la Universidad, y se dan clases hasta las dos menos cuarto. A las dos menos cuarto es la hora del aperitivo en que todos los estudiantes salen del recinto universitario y se van como a un barrio cercano donde hay bares, en que se toma el aperitivo, y se sientan con amigos, y se charla, se toma vino y algunas tapas y se pasa muy bien hasta las dos y media o las tres en que uno vuelve otra vez a su casa a comer con la familia. Toda la familia está reunida, y después, cuando se ha terminado de comer, hay unas horas de silencio en que hay gente que se echa a acostar, otros que leen cartas o escriben, y después, pues, uno va a la biblioteca hasta las siete o las ocho. Entonces a las ocho, . . . pues normalmente ha quedado con algún amigo en algún bar otra vez a charlar, y a tomar el café, hasta las nueve y media o así, en que otra vez uno vuelve a . . .

Carmen Entonces, el estudiante español ¿cuánto estudia?

Srta. Gascón Pues estudia poco.

Carmen ¿Vd. cree que el estudiante en los Estados Unidos estudia más?

Srta. Gascón Yo creo que sí. Que estudia mucho más.

Carmen ¿Qué cosas de España echa de menos en Estados Unidos?

Srta. Gascón Pues lo de poderse reunir con los amigos a una hora fija todos los días, saber que hay un sitio donde va a encontrar a una o dos personas amigas suyas y que van a estar allí. Los amigos en España son muy, muy importantes, y en América pues la gente es más retraída, son más individualistas, no se preocupan tanto por la vida comunitaria en este sentido, pero yo he encontrado tan buenos amigos en América como en España.

One woman, who lives in a small town about 40 Kms from Madrid, explains that 'la vida comunitaria' has certain drawbacks

Carmen ¿Cómo se llama?

Aurea Aurea.

Carmen ¿De dónde es?

Aurea De un pueblo muy pequeño que se llama Carranque.

Carmen ¿Está lejos de Illescas? (Sí) ¿A cuántos kilómetros?

Aurea A siete.

Carmen ¿A Vd. le gusta vivir aquí en este pueblo?

Aurea No. ¡No me gusta!

Carmen ¿Y por qué vive aquí?

Aurea Porque le gusta a mi marido.

Carmen ¿A su marido qué le gusta de este pueblo?

Aurea Pues le gusta el sol, y el aire.

Carmen Sí. Y a Vd. le gusta vivir aquí.

Aurea No. No, no, no. A mí no. A mí no me gusta.

Carmen ¿Por qué no le gusta?

Aurea Por las personas que critican mucho y eso . . . la dicen una cosa por detrás y después dicen otra por delante . . . y la critican. Si una está bien vestida pues que '¿Cómo va así tan bien vestida?' Si va mal que '¿Cómo va tan mal?' En fin ese cotilleo de pueblo, esas cosas que hay en los pueblos . . .

Carmen ¿Vd. tiene aquí amigas en el pueblo?

Aurea No. No tengo ninguna. Sólo mi hermana.

Carmen ¿Y la va a ver a menudo?

Aurea Pues, todas las mañanas. Todas las mañanas.

Carmen Y el resto del día ¿qué hace?

Aurea Pues el resto del día, pues, estar en casa y hacer las cosas de la casa, la comida, y arreglar la casa.

Carmen ¿Vd. habla de sus vecinos?

Aurea Yo no. Yo no, porque no me interesan. A mí no me interesa el vecino. Yo no digo nada de ninguno . . . allá.

Carmen ¿Pero habla con ellos, habla con sus vecinas?

Aurea Algunas veces hablo, pero vamos, poco, poco. Buenos días, y buenas tardes y buenas noches, y nada más.

Carmen Y si no tiene Vd., por ejemplo, azúcar ¿se lo pide prestado?

Aurea ¡No!

Carmen ¿Qué hace?

Aurea Pues cierro mi puerta y me voy a la tienda por ahí.

Carmen ¿Y si la tienda está cerrada . . .?

Aurea ¡Pues, paso sin ello!

Carmen ¿Y su marido no se enfada si le da café sin azúcar?

Aurea No. No se enfada, porque digo que no lo tengo, y no dice nada.

Carmen Vd. dice que aquí en este pueblo la gente critica mucho. (Sí) ¿Por qué cree Vd. que critica la gente? Porque, quizá, no tienen otra cosa de qué hablar, o ¿por qué?

Aurea Porque es así el ambiente de los pueblos. Criticar. Criticar unos de otros. Criticar unos de otros.

(*continued in chapter 8*)

EXPRESIONES

sólo hay clase	we only have classes
se dan clases	classes are given
es una hora o una hora y media de trayecto	it's an hour or an hour and a half's journey
hasta llegar	to get to
se pasa muy bien	they have a good time
yo creo que sí	I think they do/I think so
lo de poderse reunir	being able to get together
por las personas	because of the people
la dicen una cosa por detrás	they say one thing behind your back
y otra por delante	and something else to your face
¿cómo va así tan bien vestida?	how come she's all dressed up?
¿cómo va tan mal?	why is she looking such a mess?
allá (= allá ellas)	let them get on with it
pero, vamos, poco, poco	but really very little
¿se lo pide prestado?	do you ask someone to lend you some?
me voy a la tienda por ahí	I go round to the shop
¡paso sin ello!	I go without!
es así el ambiente de los pueblos	that's what goes on in small towns

LA VIDA

El bar

The Spanish *bar* is a cross between a bar and a café. It usually has a long counter with a row of high stools, and other tables outside on the pavement. It is open all day, with no restriction on the sale of alcohol, though people often go into a *bar* for nothing more than a coffee or a cold drink.

In cities people often have breakfast in a *bar*, as they sell coffee, croissants, toast and a variety of cakes, and throughout the day some serve snacks and even full meals, though the menu is usually limited. Just before meals people tend to meet there for a chat over a glass of wine and *tapas* – small dishes of olives, shell-fish, anchovies, etc. In most Spanish bars and cafés there are two price lists – one for those who stand or sit at the counter and another, slightly more expensive, for those who prefer to sit at tables and be served by waiters.

LA LENGUA

Impersonal subjects

1 Spanish uses **se** when English would use the impersonal 'one', 'you' or 'people in general', or even the passive.

en el bar **se charla** y **se toma** vino	in the bar people chat and drink wine
cuando **se ha terminado** de comer	when one has finished eating
se toma el aperitivo	people have an aperitive
en esta tienda **se habla** español	Spanish is spoken in this shop

With a plural object the verb generally agrees in the plural.

se hablan muchas lenguas en Europa	many languages are spoken in Europe
se dan clases por la mañana	classes are given in the morning

2 Uno is also used as an impersonal subject, especially with verbs that are already reflexive (e.g. **levantarse**) or which change their meaning if used reflexively (e.g. **ir**).

uno va a la biblioteca hasta las siete	one goes to the library until 7 o'clock
uno vuelve otra vez a su casa a comer	one goes back home to eat
se levanta **uno** a las siete y media	one gets up at 7.30

If 'one' refers to a woman then **una** is used.

si **una** está bien vestida . . .	if one is well-dressed

Demonstratives: ese (that)

ese works in the same way as **este** (chapter 2).

	masculine	feminine	
singular	ese	esa	neuter: **eso**
plural	esos	esas	

ese cotilleo de pueblo	that small-town gossiping
esa chica que vende pescado	that girl who sells fish
esos vecinos que critican	those neighbours who criticise

Like **este** it may be used alone to refer to a noun already mentioned or understood.

esta chica no me gusta; **ésa** me gusta más	I don't like this girl; I like that one better
ésos son mis vecinos	those are my neighbours

The neuter form **eso** refers to a general idea:

eso no me gusta	I don't like that (what we've been talking about)
no estoy de acuerdo con **eso**	I don't agree with that

No . . . ninguno/-a (no, none, not any)

masculine	feminine
ningún ninguno	ninguna

Ningún comes immediately before a masculine singular noun; otherwise **ninguno** is used.

ningún chico ha venido	no boy has come
ninguno de mis vecinos está aquí	none of my neighbours is here
ninguna amiga mía quiere salir	no friend of mine wants to go out

When **ninguno** etc. *follows* the verb, **no** has to precede it (as with the other negatives, p. 8)

no me gusta **ningún** pueblo	I don't like any small town
¿Vd. tiene amigas? No, **no** tengo **ninguna**	do you have any friends? No, I don't have any

| yo **no** hablo con **ninguno** de mis vecinos | I don't talk to any of my neighbours |

Notice that Spanish can have more than one negative in the same sentence:

| yo **no** digo **nada** de **ninguno** de mis vecinos | I don't say anything about any of my neighbours |

EJERCICIOS

I

(levantarse) 1 uno se levanta a . . . .

(salir de la casa) 2 se sale de la casa . . . .

(empezar el trabajo) 3 . . . .

(tomar el aperitivo) 4 . . . .

(comer en casa) 5 . . . .

(salir a hacer compras) 6 . . . .

(volver a casa para cenar) 7 . . . .

(acostarse) 8 . . . .

II Put the correct form of **ninguno** and **ese** into the appropriate space.

No conozco a **ninguna** de **esas** chicas.

1 ...... de mis vecinos hace sus compras en ...... tienda.
2 ...... señora no quiere hablar con ...... otra.
3 A ...... chico no le gusta ...... de los bares de este pueblo.
4 ...... amigo mío quiere ir a casa de ...... señora.
5 ...... son unos estudiantes que no van nunca a ...... clase.
6 ...... de ...... niñas quiere jugar con mis hijos.

III ¡Un día típico!

Make all these sentences refer to the past, using the preterite.

1 A las nueve me levanto y me lavo. ....
2 A las nueve y media tomo una taza de café con tostadas. ....
3 A las diez salgo de casa. ....
4 A las diez y veinte me voy a la estación. ....
5 A las once menos cuarto llego a Madrid. ....
6 Me paso la mañana buscando un par de zapatos. ....
7 A los dos vuelvo a casa a comer. ....
8 Entre las seis y las ocho descanso un poquito. ....
9 A las nueve menos cuarto unos amigos vienen a verme. ....
10 Y a las once y media me voy a la cama y leo un libro. ....

Doña Aurea lives in a small town in the country half way between Madrid and Toledo (continued from chapter 7)

Carmen ¿Se acuerda Vd. de alguna vez que alguien ha criticado a otro, o a Vd.?

*Aurea Sí. Sí, sí, sí, sí. Mire, el otro día, pues iba yo a Carranque, y como mi esposo no tiene coche porque es muy nervioso, pues había unos señores en la esquina de un bar. Y dije que dónde estaba el taxista. Y me dijeron que había ido a llevar la comida a un hijo suyo. Y los dije a esos señores 'Bueno, pues, de que venga el taxista, le decís que en casa de Victoria, una hermana mía, le espero – que tengo que hablar con él'. Bueno, pues esos señores le vieron a mi marido, y le dijeron 'Tu esposa ha dicho que tiene que hablar con el taxista.' Y mi marido cuando vino a comer me lo dijo.

Carmen O sea que todo el pueblo . . .

Aurea Sí. Que ya eso fue criticado, por esos señores, incluso hombres. Ya le dijeron a mi marido que tenía que hablar yo con él.

Carmen Así que no solamente critican las mujeres . . .

Aurea También los hombres.

Carmen Vd. ¿quién cree que critica más? ¿Las mujeres o los hombres?

Aurea Las mujeres. (¿Por qué?) Porque la mujer es más habladora y critica más. El hombre está en su trabajo y tiene más que hacer, y está más cansado y esas cosas, y se preocupa menos. Las mujeres tienen más tiempo, y la mujer es más criticona, más habladora y más envidiosa, y todo eso. El hombre es más independiente.

Carmen Y cuando quiere Vd. comprarse por ejemplo un par de zapatos, ¿qué hace?

Aurea Pues, me marcho a Madrid.

Carmen ¿Y cómo va a Madrid?

Aurea Voy en tren.

Carmen ¿Y su esposo la acompaña?

Aurea Sí. Mi esposo me espera en la estación de Atocha. (Sí) De Atocha.

Carmen ¿Y va con Vd. de compras?

Aurea Y viene conmigo, sí, de compras.

Carmen ¿La acompaña dentro de la tienda? (No) ¿Qué hace él?

Aurea Yo paso a la tienda, y él se marcha al bar, porque no podemos estar juntos de compras, (¿Por qué?) Porque regañamos.

Carmen ¿Regañan Vds.? ¿Por qué?

Aurea Porque dice que los primeros zapatos que me saquen, tengo que comprarlos, porque dice que si no, que molesto mucho al comerciante, y que eso no está bien. Pues he decidido de ya, cuando voy de compras, decir 'Aquí voy a entrar, en este establecimiento. Así que ya sabes. Vete donde quieras porque ya sabes que si pasas, regañamos'. Así que él se marcha al bar y yo entro sola.

Carmen ¿Y cuando termina de comprar?

Aurea Cuando termino de comprar pues me salgo a la puerta del establecimiento y le espero . . . a que venga.

Carmen ¿Y viene él pronto?

Aurea ¡Pronto! ¡Cuando le parece! Porque si empieza a beber y se encuentra con algún amigo pues no se acuerda de que tiene a su esposa esperándole allí en la puerta del establecimiento.

Carmen ¿Y por qué no va Vd. a buscarle al bar?

Aurea Porque no sé dónde está.

Carmen Ya veo, doña Aurea, que no le gusta vivir en Illescas ni en ningún pueblo pequeño. (No) Entonces ¿dónde le gusta vivir?

Aurea Pues a mí me gustaría mucho Madrid . . . Madrid, o Sevilla por ejemplo. Una capital . . . bueno una capital. Una capital.

Carmen ¿Por qué en una ciudad grande?

Aurea Porque tiene muchas distracciones, y es la vida muy independiente. Cada uno va a lo suyo, y nadie la dice nada. Y muchas diversiones también. Muchas diversiones.

Carmen ¿Qué diversiones de las ciudades le gustan a Vd.?

Aurea Me gusta mucho pasear, en el Retiro. En el parque del Retiro. Y me gustan mucho también las plazas de Madrid, que son muy bonitas, la Rosaleda me gusta mucho, que es muy bonito. Me gusta mucho el Retiro, que es precioso. La Casa de Campo también me gusta, que es muy bonito. En fin, sitios verdes . . . En el verano me gustan sitios verdes.

Carmen Pero aquí tiene Vd. muchos sitios verdes en el pueblo.

Aurea Mmm, no. Aquí hay menos. Aquí en Illescas hay el campo, pero es sólo la primavera. La primavera sí está bonito y muy verde y muy bonito. Pero después ya, como hace mucho calor, se seca, y ya está muy feo.

Carmen Aah. No hay árboles.

Aurea No hay árboles. No se puede pasear porque hace mucho calor.

Carmen ¿Y qué otras cosas le gustan de la ciudad? Las cafeterías, los . . .

Aurea Sí. Me gusta mucho una buena cafetería. Me gusta mucho. Y me gustan también las salas de fiesta.

Carmen ¿Le ha gustado a Vd. bailar?

Aurea Sí. Me ha gustado mucho bailar, me ha gustado mucho bailar, y me gusta también . . . mucho . . ., los cines de la Gran Vía, que son muy bonitos. (Son preciosos) Son preciosos, muy bonitos.

Carmen Bueno, doña Aurea. Muchas gracias, y a ver si puede ir pronto a Madrid.

Aurea Muy bien. ¡De nada!

EXPRESIONES

* As doña Aurea's story is told very colloquially we offer here an English version:

Look, the other day I was going to go to Carranque, and as my husband hasn't got a car because he's very excitable, well there were some men on the corner outside a bar. And I said where's the taxi driver. And they told me that he'd gone to take lunch to one of his sons (*who was probably working in the fields*). And I said to these men 'Well, when the taxi driver gets back, tell him I'm waiting for him in Victoria's house – that's one of my sisters – because I want to talk to him.' Well, these men saw my husband and said 'Your wife says she's got to speak to the taxi driver'. And when my husband got home he told me about it.

el hombre está en su trabajo	the man is busy at work
los primeros zapatos que me saquen	the first pair of shoes they get out for me
eso no está bien	that's not very nice
así que ya sabes	so now you know
vete donde quieras	you go wherever you like
me salgo a la puerta del establecimiento	out I go to the shop door (*emphatic*)
le espero a que venga	I wait for him to come back
¡cuando le parece!	when it suits him!
a mí me gustaría mucho Madrid	I'd very much like (to live in) Madrid
cada uno va a lo suyo	everyone minds his own business
a ver si puede ir pronto a Madrid	let's hope you soon go to Madrid

NB es sólo la primavera = es sólo *en* la primavera.

LA VIDA

Doña Aurea is typical of many Spaniards in her eagerness to move to the city. Life in the small towns and the countryside of Spain is often hard and uneventful and city life represents opportunity for excitement, variety and above all work. So great is this attraction that many areas of the Spanish countryside, especially those that are poor and arid, are becoming depopulated and the cities over-crowded. Not only Madrid but also other provincial capitals, like Barcelona and Sevilla, have more than their fair share of immigrants from the countryside – hence the enormous blocks of new flats proliferating on the outskirts of these cities. Others go even further afield to Britain, France and Germany.

La Rosaleda, la Casa de Campo

La Rosaleda is a famous and popular formal rose garden in the *parque del Retiro*; *la Casa de Campo* was once the hunting park belonging to the Royal family. Now it serves as a large natural park on the outskirts of Madrid and is a favourite haunt of many *madrileños* on fine weekends. It is often referred to as *el pulmón de Madrid* (the lungs of Madrid).

LA LENGUA

Imperfect tense:

	-AR		-ER/-IR
	-aba		-ía
	-abas		-ías
habl-	-aba	beb-	-ía
	-ábamos	viv-	-íamos
	-abais		-íais
	-aban		-ían

(Only 3 verbs have irregular imperfects:

ser: era, eras, era, éramos, érais, eran
ver: veía, veías, veía, veíamos, veíais, veían
ir: iba, ibas, iba, íbamos, ibais, iban

The imperfect often corresponds to the English 'was . . .ing':

hablabas con Juan — you were talking to Juan
vivíamos en Barcelona — we were living in Barcelona
iba yo a Carranque — I was going to Carranque

It may also correspond to 'used to' when it describes a habitual action in the past:

íbamos todos los días a Carranque — we used to go to Carranque every day
antes **vivían** en Sevilla — at one time they used to live in Seville
nos **veían** los domingos — they used to see us on Sundays

Había   (there was, there were)

Había is the imperfect of **hay** (there is, there are).

había unos señores en la esquina de un bar	there were some men on the corner outside a bar
no **había** ningún taxi	there were no taxis

Colloquial speech

In everyday colloquial speech people often say things that are not regarded, strictly speaking, as 'correct'. Spanish is no exception in this respect. For instance:

nadie la dice nada

> should be

nadie **le** dice nada (indirect object pronoun p. 15)

Similarly:

los dije a esos señores

> should be

les dije a esos señores

me gusta . . . también . . . mucho los cines

> should be

me gust**an** . . . también . . . mucho los cines

Doña Aurea was thinking of things she liked, and the plural **cines** didn't occur to her until she'd already said the singular **me gusta**.

EJERCICIOS

I

Doña Aurea vive en un pequeño pueblo que se llama Illescas. Como en todos los pueblos la gente siempre habla de lo que hacen sus vecinos: critican y hablan mal de ellos. A doña Aurea no le gusta eso y quiere marcharse a vivir en una ciudad grande. Va con frecuencia a hacer compras a Madrid porque allí hay unas tiendas muy bonitas. La acompaña su marido pero como es muy nervioso, prefiere reunirse con sus amigos. Cuando van juntos a hacer compras siempre regañan y por eso él se va a un bar mientras doña Aurea hace las compras sola. Después le espera a su marido en la puerta de la tienda, pero él, cuando bebe, siempre se olvida de su mujer.

Rewrite this passage to make it refer to the past, putting all the present tenses into the imperfect.

Antes . . . .

II Answer these questions using one of the negatives **nada, nadie, nunca,** or **ninguno/ninguna.**

¿Con quién habla Vd. en este pueblo?   No hablo **con nadie.**

1 ¿Cuándo va Vd. a Sevilla? ....
2 ¿Cuántos hermanos tiene Pilar? ....
3 ¿Qué ha comprado doña Concepción? ....
4 ¿A quién critica doña Aurea? ....
5 ¿Cuándo va a casa de sus vecinos? ....
6 ¿Qué le gusta a doña Aurea de este pueblo? ....
7 ¿Quién viene a comer hoy? ....
8 ¿Cuántas amigas tiene doña Aurea en el pueblo? ....

III The following are snippets of conversation overheard in a village street. Report what you have heard to a friend, starting each sentence **Dijo que** . . . ; put the verbs into the imperfect and make any other changes that are necessary.

'Mi marido está enfermo y no puede trabajar.'
Dijo que su marido **estaba** enfermo y **que** no **podía** trabajar.

1 'Mi hijo sale con una chica que no me gusta.' ....
2 'Mis amigos de Carranque van a comprar un coche más grande.' ....
3 'Los Pérez quieren vender su casa.' ....
4 'Se marcha la criada de la señora García.' ....
5 'Yo estoy cansada y no puedo trabajar demasiado.' ....
6 'La hija de doña Dolores espera a su séptimo niño.' ....
7 'Pensamos pasar las vacaciones con nuestro hijo en Málaga.' ....
8 'La hija de mi vecina va a casarse pronto y se marcha a Madrid.'
....

IV Fill in the gaps in the dialogue using each of the following words once only:

dicho, tener, esperé, aperitivo, para, vecinos, taxista, encontrado, nervioso, quedarme, tenías

Marido   ¡Aurea, mujer! ¿Qué es esto que me dicen? He ido al bar a tomar un
...... y he ...... allí a Raúl y José. Ellos me han ...... que tú dijiste esta mañana que ...... que hablar con el ...... ¿Por qué querías hablar con él? ¡Dime!

Aurea   ¡Hombre! ¡Cálmate! Yo quería ir esta mañana a Carranque ...... hacer compras. Como tú no puedes ...... coche porque eres tan ......, yo pensaba ir en taxi. ¡Pero no estaba el taxista! Le ...... en casa de Victoria pero no vino. Así que tuve que ...... todo el día aquí en Illescas. ¡Madre mía! No me gustan esos ...... que siempre critican las cosas que hago.

9

*Señora Tomasa García Serván lives in the 'Residencia Francisco Franco',
a residence for retired people just outside Madrid*

Carmen ¿Cómo se llama?

Doña Tomasa Tomasa García Serván.

Carmen ¿Le importa a Vd. decirme cuántos años tiene?

Doña Tomasa A mi edad, ya he perdido la vanidad. Tengo setenta y cuatro. (¿74
años?) ¡Setenta y cuatro años!

Carmen ¿Es Vd. casada, soltera?

Doña Tomasa Viuda.

Carmen ¿Cuántos años estuvo Vd. casada?

Doña Tomasa Veinte. Veinte años.

Carmen ¿Cuándo se quedó Vd. viuda?

Doña Tomasa Pues hace ocho. Ocho años.

Carmen ¿Tuvieron Vds. hijos?

Doña Tomasa No tuve hijos.

Carmen Entonces ¿echó Vd. de menos los hijos?

Doña Tomasa Pues sí. He echado de menos los hijos sobre todo en el estado de viuda.
Me he sentido más sola.

Carmen ¿Y su marido, qué hacía?

Doña Tomasa Era jefe de Correos. (¿Y Vd.?) Yo profesora. Profesora de escuela.
Profesora de enseñanza, de cultura general, de cultura general.

Carmen ¿Trabajó Vd. de soltera?

Doña Tomasa Sí. De soltera se puede decir que lo que estuve más es haciendo
estudios, estudiando. Después ya, pues ejercité la carrera, dando clases
particulares.

Carmen ¿En su casa o en un colegio?

Doña Tomasa No no no. En las casas particulares donde iba a dar clase.

Carmen ¿Trabajó Vd. de casada?

Doña Tomasa De casada trabajé.

Carmen ¿Hasta cuándo?

Doña Tomasa Hasta pues, hasta hace diez años, o sea hasta los sesenta años estuve
trabajando.

Carmen ¿Vd. trabajaba por vocación o por gusto?

Doña Tomasa Mi vocación era extraordinaria para la enseñanza porque siempre,
siempre pensé que se necesita vocación pero que elegí la carrera porque
cuando yo era joven no había otra para las mujeres, pero realmente
resultó ser mi vocación porque la ejercí con toda mi alma.

Carmen Doña Tomasa ¿su marido admitía su trabajo?

Doña Tomasa Admitía mi trabajo porque yo lo hacía con mucho gusto y porque
creía que era un deber ayudarle.

Carmen ¿Ayudarle de qué forma?

Doña Tomasa Económicamente, porque entonces los sueldos no estaban como los
de ahora, y claro, para vivir bien, se necesitaba una ayuda que yo,
voluntariamente y con todo cariño, lo hacía.

Carmen ¿Cuánto costaban las cosas entonces?

Doña Tomasa Es difícil determinar porque claro son muchas cosas . . . indudablemente, calculen más del diez por ciento (10%) menos.

Carmen ¿Por ejemplo, las naranjas, un kilo de naranjas?

Doña Tomasa ¿Un kilo de naranjas? Pues, mire, por diez céntimos le daban a Vd. un par de naranjas que sería ya casi un cuarto kilo (¡10 céntimos!). 10 céntimos . . . Es que 10 céntimos entonces tenía valor. Hoy 10 céntimos lo vemos en el suelo y no lo recoge nadie.

Carmen ¿Qué se compra ahora por 10 céntimos?

Doña Tomasa ¿Por 10 céntimos? Nada. Nada en absoluto. Entonces un pobre pedía 'por favor 10 céntimos, 5 céntimos, 2 céntimos', y hoy piden una peseta.

Carmen Y hasta un duro ¿no?

Doña Tomasa Hasta un duro.

Carmen ¿Qué hacía la gente antes? Cuando era joven ¿dónde iban?

Doña Tomasa Pues al teatro, al cine y aun al baile. Claro yo al baile no fui porque no me gustaba, pero el teatro y el cine . . . entonces por un duro el domingo se iba . . . a la sesión de las cuatro en el cine, se merendaba un café con leche con una tostada de pan con mantequilla, y después se volvía al teatro hasta las nueve de la noche por un duro.

Carmen ¿Cuánto cuesta eso ahora?

Doña Tomasa Eso ahora yo no lo sé calcular, porque no lo hago. No lo he hecho nunca, porque se supondría un dineral, que no lo he tenido.

Carmen Por lo menos 500 pesetas.

Doña Tomasa Por lo menos seguro, seguro.

EXPRESIONES

¿cuándo se quedó viuda?	when did you become a widow?
en el estado de viuda	since I became a widow
me he sentido más sola	I've felt more alone
era jefe de Correos	he was a postmaster
cultura general	general knowledge
de soltera/de casada	when you were single/when you were married
lo que estuve más es haciendo estudios	most of the time I was studying
ejercité la carrera	I used my training (I practised)
donde iba a dar clase	where I used to go and teach
hasta los sesenta años	until I was 60
calculen más del diez por ciento menos	you can count it as more than 10% less
que sería ya casi un cuarto kilo	which must have been almost a $\frac{1}{4}$ kilo
yo no lo sé calcular	I can't work it out
se supondría un dineral	it must cost a fortune

LA VIDA

In Spain most old folk are looked after by their families and there exist very few old people's homes like the one Doña Tomasa lives in. Spain does not have the comprehensive system of old-age pensions that we have so old people are rarely financially independent. On the other hand, family ties are very strong among the Spaniards and there is a long tradition of respect for age and the aged. Consequently, an old person is rarely abandoned in poverty and, on the contrary, may well enjoy considerable status and influence within the family.

Diez céntimos is the tiny 10 *céntimo* piece, worth only a tenth of a *peseta*, the basic unit of currency, which is itself worth only slightly more than half a new penny. As you can imagine, *diez céntimos* will buy very little! *Un duro* is the popular way of referring to the 5 *peseta* piece, much as we used to refer to a shilling as a 'bob'. It is not uncommon to hear people refer to prices in *duros* and talk, for example, of a car costing 10,000 *duros* rather than 50,000 pesetas.

LA LENGUA

Summary: perfect, preterite and imperfect tenses

1 The *perfect* refers to the recent past and corresponds to English 'have' + past participle:

a mi edad, ya **he perdido** la vanidad	at my age I've lost my vanity
me he sentido más sola	I have felt more alone
no lo **he hecho** nunca	I have never done it

2 The *preterite* refers to something that happened at a particular time or limited period of time in the past which is considered over and done with.

¿cuántos años **estuvo** Vd. casada?	how many years were you married?
me quedé viuda hace ocho años	I became a widow 8 years ago
¿**trabajó** Vd. de soltera?	did you work when you were single?

3 The *imperfect* describes something happening in the past, either repeatedly or lasting for an unspecified period of time.

mi marido **era** jefe de Correos	my husband was a postmaster
cuando yo **era** joven no **había** otra carrera para las mujeres	when I was young there was no other training for women
¿cuánto **costaban** las cosas entonces?	how much did things cost then?
el domingo se **iba** a la sesión de las 4 en el cine	on Sunday one used to go to the 4 o'clock programme in the cinema
después se **volvía** al teatro hasta las nueve	afterwards one would go back to the theatre until 9 o'clock

The imperfect often describes the background against which another action took place.

era muy joven cuando me casé	I was very young when I married
Paco **trabajaba** cuando yo llegué	Paco was working when I arrived

The following examples may show the difference between the uses of these three past tenses.

he bebido dos litros de vino hoy	I've drunk two litres of wine today
la semana pasada fuimos a una fiesta y **bebimos** demasiado	last week we went to a party and drank too much
cuando era joven **bebía** muy poco	when I was young I drank very little
hemos vivido quince años en Madrid	we've lived in Madrid for 15 years
vivimos dos años en Sevilla	we lived in Seville for 2 years
cuando **vivíamos** en Sevilla la vida era mucho mas barata	when we lived in Seville life was much cheaper

Past tenses + -ndo

The -ando -iendo form of the verb may be used with the past tenses just as with the present (p. 24):

de soltera estuve **estudiando**	when I was single I was studying
ejercité la carrera **dando** clases	I used my training giving classes

estuve **trabajando** hasta los 60   I was working until I was 60
  años

estábamos **comiendo** cuando llegó   we were eating when Juan arrived
  Juan

EJERCICIOS

I   Choose a verb from the list below to fit each of the blanks in the following
sentences. (Use each verb only once, though some may apparently fit more than
one slot). Then put the verb into the most suitable past tense (perfect, imperfect
or preterite) to fit the context.

estar, marcharse, salir, ser, estudiar, conocer, costar, tener, terminar, invitar

  1 ¿Por qué no vienes a comer a mi casa hoy? Tú me . . . . . muchas veces.
  2 Cuando . . . . . joven, Javier . . . . . todos los fines de semana con una chica
    diferente.
  3 Paco . . . . . sus estudios en 1958.
  4 Nosotros les . . . . . por primera vez hace 2 años.
  5 Alicia . . . . . ya pero Paco está todavía, si quieres hablar con él.
  6 Antes de conocer a María Elena, Juana no . . . . . . ninguna amiga en el
    pueblo.
  7 Yo . . . . . casada 16 años con un taxista.
  8 Hasta ahora, Carmen . . . . . dos años en la universidad.
  9 Hace veinte años un kilo de naranjas . . . . . diez céntimos.

II   Give the questions to which the following would have been the answers. (Use
Vd. and **Vds.** in the questions.)

  1 ¿. . . . .?   Teníamos dos coches entonces.
  2 ¿. . . . .?   Conocí a mi marido hace 14 años.
  3 ¿. . . . .?   Pasamos la semana pasada en Carranque.
  4 ¿. . . . .?   De todas mis amigas, me gusta más Asunción.
  5 ¿. . . . .?   He comprado estos zapatos para mi novio.
  6 ¿. . . . .?   Me refiero a Rafael.
  7 ¿. . . . .?   Cuando éramos jóvenes, vivíamos en Sevilla.

III   Answer these questions based on the interview with doña Tomasa as briefly as
possible.

  1 ¿Qué hacía el marido de doña Tomasa?   . . . .
  2 ¿Qué hacía ella?   . . . .
  3 ¿Dónde daba clases?   . . . .
  4 ¿Hasta cuándo trabajó?   . . . .
  5 ¿Era la vida más o menos cara entonces?   . . . .
  6 ¿Cuánto costaba un par de naranjas?   . . . .
  7 ¿Qué día se iba al cine?   . . . .
  8 ¿Qué se merendaba después del cine?   . . . .
  9 ¿Cuánto pide un pobre hoy?   . . . .
  10 Si doña Tomasa se quedó viuda hace 8 años y estuvo casada 20 años, y
    estamos ahora en el año 1972, ¿en qué año se casó?. . . . .
    ¿Y cuántos años tenía?. . . . . .

Chinchón, in the province of Madrid, is famous for
*its beautiful old square (**la plaza mayor**) and for the*
production of the aniseed liqueur – anís – to which
it has given its name

Pepe Estoy probando el anís con un señor que trabaja
en una de las muchas fábricas que producen el
famoso licor. Señor ¿me puede decir cuál es el
proceso de fabricación de este famoso anís?

Guía Pues sí, señor. Aquí se tienen unos granitos
matalahuva, que con ellos se hace el anís. Se le
mezcla alcohol, agua depurada, en este alambique. Luego, pues, se le pasa un vapor para
hacerle cocer. Al cocer, sale el vapor y llega a este condensador. Al
llegar a este condensador se condensa, y es cuando ya tenemos el
anís hecho.

Pepe ¿Y Vds. también embotellan el anís?

Guía Pues sí, señor. Se embotella en esta embotelladora, y ya se manda al
almacén, por todas partes de España y por todas partes del mundo.

Pepe Dígame, señor ¿por qué dicen que el anís de Chinchón tiene duende,
tiene fantasma? ¿Por qué?

Guía Porque se hace aquí en este castillo.

Pepe Y aquí está la fábrica.

Guía Sí, señor . . . es muy famoso.

Pepe ¿En este castillo había antes fantasma?

Guía Pues claro. Siempre, en todos los castillos.

Pepe ¿Y a Vd. le gusta el anís con fantasma?

Guía Pues sí, señor. A mí me gusta mucho el anís, particularmente el
Clásico de Chinchón de cuarenta grados (40°).

Pepe Muchas gracias. (De nada.)

Segovia is known all over the world for its Roman aqueduct. But in
Spain it is also renowned as the gastronomic centre of Castile, and
Señor Cándido who owns the famous 'Mesón de Cándido' is something
of a national figure

Carmen A la sombra del famoso acueducto, y muy cerca de él, está el
restaurant más famoso de toda España – el famoso 'Mesón de Cándido'.
Y ahora vamos a charlar un rato con su hijo, que es 'Vicemesonero
mayor de Castilla'. Señor Cándido, ¿cuáles son sus especialidades?

Sr. Cándido Bueno, las especialidades nuestras, es decir las especialidades de este
mesón, están vinculadas a las mismas que tenemos en esta región
culinaria, una de las más representativas del mapa gastronómico de
España. Aquí, desde tiempos inmemoriales, hemos tenido una clásica
sopa, la sopa de ajo, sopa de ajo con huevo y jamón que, de siempre,
se llamó 'la sopa castellana'. Tenemos también unas judías especiales
de enorme tamaño, que por eso las llamamos 'judiones'. Son

fabulosas. Y después como pescados de río aquí tenemos unas truchas maravillosas, que hacemos de una receta más bien española que segoviana, porque aquí son famosas hechas al estilo navarro, es decir fritas y envueltas con una loncha de jamón. Pero, el plato típico de Segovia, el plato fuerte, el plato de choque de nuestra gastronomía, es el cochinillo asado.

Carmen ¿Qué es un cochinillo?

Sr. Cándido Un cochinillo es un cerdo de 21 días aproximadamente – dos días más, dos días menos, y en esta provincia son de muy alta calidad.

Carmen ¿Cómo lo preparan?

Sr. Cándido Pues bien. El cochinillo se prepara de la siguiente forma: se le extiende sobre una cazuela de barro y se le coloca al horno. Solamente con manteca de cerdo y sal. No hay que añadir más, porque así estropeamos su sabor.

Carmen ¿No se añade ninguna especia?

Sr. Cándido ¡En absoluto!

Carmen ¿Dónde lo asan Vds.?

Sr. Cándido Lo asamos en un horno exactamente el mismo que usamos para cocer el pan.

Carmen Bueno, señor Cándido, se me hace la boca agua. ¿Qué vino recomienda Vd. con este famoso cochinillo?

Sr. Cándido Pues bien, con el cochinillo asado, teniendo en cuenta que es un plato de carne, y de carne fuerte, es necesario acompañarle con un vino más fuerte aún. Y entonces necesitamos vinos de tipos Borgoña, de tipos Rioja, de tipos Alsacia, en fin, y nada más.

Carmen Veo aquí una fotografía muy interesante de su padre cortando un cochinillo con dos platos.

Sr. Cándido ¡Efectivamente! Es para demostrar que el cochinillo está en su punto exacto de cochura. De no partirse con el borde de un plato, no lo está.

EXPRESIONES

aquí se tienen unos granitos matalahuva	here we've got some seeds of aniseed
que con ellos se hace el anís	which is what *anís* is made from
que, de siempre, se llamó 'la sopa castellana'	which has always been called 'Castilian Soup'
de una receta más bien española que segoviana	according to a Spanish rather than a Segovian recipe
al estilo navarro	in the Navarrese style
el plato de choque	THE dish (i.e. our speciality)
se me hace la boca agua	my mouth is watering
en su punto exacto de cochura	roasted to just the right degree
de no partirse con el borde de un plato	if you can't cut it with the edge of a plate
no lo está	it isn't (i.e. cooked just right)

Roasting the sucking pig

LA VIDA

Segovia

Segovia today is the small capital of the province of Segovia, a sleepy, historical city with around 42,000 inhabitants, about 50 miles north west of Madrid. It is now only a shadow of the famous and important city it once was. In the sixteenth century, for instance, when the population was nearly double that of today, Segovia was a thriving commercial centre of Spain's then prospering woollen industry, and such an important centre for the arts and court life that it has been called *la Florencia española* (the Spanish Florence). The city has always been a natural fortress, since it is built on rock, and the most famous Segovian monument is a perfectly preserved Roman aqueduct which dates from the time when Segovia was a Roman military base.

Mesonero mayor de Castilla

El mesonero was originally the man in charge of catering at the royal household. Today it is simply an inn-keeper. The title *Mesonero mayor de Castilla* was conferred upon Cándido by a group of food-lovers in recognition of his services to Spanish cooking, and his son subsequently became known as the *vicemesonero*.

LA LENGUA

Superlatives

> Madrid es una ciudad **vieja**
> ésta es una ciudad **más vieja** que Madrid
> Segovia es **la más vieja** de la región

The definite article plus **más** or **menos** means 'the most ...', 'the least ...' or corresponds to English '... est' on the end of an adjective.

este chico es **el menos** inteligente	this boy is the least intelligent
estos señores son **los más** simpáticos	these men are the nicest

If the article already comes before the noun, it is not repeated afterwards.

es **la** señora **más** habladora que conozco	she is the most talkative woman (that) I know
las especialidades **más** representativas de aquí son el cochinillo y el anís	the most representative specialities of this place are sucking pig and *anís*

After a superlative, *in* is expressed by **de**:

son los castillos más viejos **del** país	they are the oldest castles in the country
el acueducto es el monumento más antiguo **de** Segovia	the aqueduct is the most ancient monument in Segovia
esta señora es la menos simpática **de** mi pueblo	this lady is the least likeable in my town

77

Bueno and **malo** have special forms: **(el) mejor** (*best*), **(el) peor** (*worst*)

este cochinillo asado es **el mejor** de España	this roast sucking pig is the best in Spain
las mejores truchas son de aquí	the best trout are from here
este clima es **el peor** del mundo	this climate is the worst in the world
esos vinos son **los peores** que he probado	these wines are the worst (that) I have tasted

Mismo

mismo as an adjective means 'same' and is placed *before* the noun.

es el **mismo** señor que vimos ayer	it's the same man that we saw yesterday
salgo esta tarde con la **misma** chica	I'm going out with the same girl this evening

It can also come separately from its noun.

las **especialidades** nuestras son **las mismas** que tenemos en esta región	*our* specialities are the same ones as we have in this region
este **horno** es **el mismo** que usamos para hacer el pan	this oven is the same one that we use to make bread

NB '*as*' and '*that*' etc. are conveyed by **que**.

It may also be used with **lo** to mean 'the same thing'.

yo pienso **lo mismo**	I think the same (thing)
todos vamos a hacer **lo mismo**	we're all going to do the same thing

Combined with the subject pronouns **yo**, **tú**, **él** etc. it forms the emphatic *myself, themselves*, etc.

lo hizo **él mismo**	he did it himself
lo puedes hacer **tú mismo**	you yourself can do it
nosotros mismos lo vimos	we saw it ourselves
ella misma me lo ha dicho	she told me herself

Al + infinitive

Al + the **-ar**, **-er**, **-ir** form of the verb can replace a clause beginning with **cuando**.

al salir de la casa vi a Pedro
cuando salí de la casa vi a Pedro } as I went out of the house I saw Pedro

al llegar a este condensador, se condensa
cuando llega a este condensador, se condensa } when it reaches this condenser it condenses

al cocer, sale el vapor
cuando cuece, sale el vapor } when it boils, the steam comes out

Pronouns

When talking about the preparation of food **le** is often used where you might normally expect **lo** or **la**.

se **le** pasa un vapor para hacer**le** cocer
you pass steam through it to make it cook

se **le** extiende (el cochinillo) sobre una cazuela de barro y se **le** coloca al horno
you lay it on an earthenware dish and put it in the oven

EJERCICIOS

I Choose a suitable adjective from the list and use it with **más** or **menos**, along the lines of the example, to fit the meaning of the sentence. Use each adjective only once.

peor, caro, tranquilo, simpático, mejor, alto, antiguo, famoso, **interesante**

Este libro me gustó mucho; **es el más interesante** que he leído.

1 Este vino es muy bueno; . . . . . que he bebido.
2 Estas casas tienen muchos pisos; . . . . . de Madrid.
3 Nuestro pueblo tiene muy poco tráfico; . . . . . de España.
4 Todavía tengo mucho dinero porque compré los zapatos . . . . . que había en la tienda.
5 Todo el mundo conoce este mesón porque . . . . . de la región.
6 Estos monumentos son muy viejos; . . . . . que tenemos.
7 El clima de este país es muy malo; . . . . . del mundo.
8 No quiero hablar con Elena porque es la mujer . . . . . que conozco.

II Fill in the blanks with either the correct definite article+**mismo**, or with the subject pronoun+**mismo**, as appropriate.

María y Ana han preparado el cochinillo **ellas mismas**.
Este libro es **el mismo** que estaba leyendo esta mañana.

1 Rafael y Juan hicieron . . . . . la receta de Carmen.
2 Nuestro coche no es nuevo; es . . . . . que teníamos el año pasado.
3 ¿Esta sopa es . . . . . . que comimos ayer?
4 Margarita, ¿vas a hablar . . . . . con él?
5 Manuel ha dicho . . . . . que Jaime.
6 . . . . . quiero prepararlo.
7 Estos zapatos son . . . . . que llevaba ayer.
8 . . . . . queremos ir a verlo.

GRAMMAR INDEX

ANSWERS TO EXERCISES

1

I 1. Nosotros vamos a comprar el coche porque nos gusta mucho. 2. Juan va a tomar aire puro porque le gusta mucho. 3. María va a pasar dos días en Madrid porque le gusta mucho. 4. Ellos van a comer pato porque les gusta mucho. 5. Yo voy a ir al Retiro porque me gusta mucho. 6. Ellas van a visitar todos los museos porque les gustan mucho. 7. Mi marido va a invitar a Pepe y a Carmen porque le gustan mucho. 8. Nuestros amigos van a ir a Barcelona y a Bilbao porque les gustan mucho.

II 1. sus. 2. nuestro. 3. su. 4. su. 5. mi. 6. sus. 7. sus. 8. mi. 9. su. 10. nuestras.

III ... es ... Es ... está ... son ... es ... es ... está ... son ... está ... soy ... estoy ... está.

2

I 1. ¿Dónde vive Vd.? 2. ¿Por qué no tiene Vd. criada? 3. ¿Qué hace su marido? 4. ¿Cuál es su comida preferida? 5. ¿Cómo van Vds. al campo? 6. ¿Quién cocina generalmente? 7. ¿A qué hora (or cuándo) va Vd. a verle?

II 1. No podemos venir antes de las ocho. 2. Tengo que estar ... 3. Nos gusta ir ... 4. Solemos volver ... 5. Dolores va a casarse ... (or se va a casar) 6. Dolores no puede levantarse ... (or no se puede levantar) 7. ¿Les gusta a Vds. cocinar ...? 8. Algunos días preferimos comer ... 9. No quiero quedarme ... 10. ... yo prefiero comer. ...

III 1. Nosotros pasamos todos los domingos paseando. 2. Mi hermano pasa toda la mañana estudiando en casa. 3. El amigo de Paco pasa todos los viernes bebiendo en un bar. 4. Dolores pasa toda la noche hablando con sus amigas. 5. La criada pasa toda la tarde cocinando. 6. ¿Vds. pasan todo el día trabajando en la oficina? 7. Yo no quiero pasar todo el tiempo haciendo ejercicios. 8. Alicia y su marido pasan todos los fines de semana descansando y leyendo.

3

I 1. Le gusta mucho estar con nosotros (or nosotras). 2. Le gusta mucho estar con ella. 3. Les gusta mucho estar con ellos. 4. Le gusta mucho estar con ella. 5. Le gusta mucho estar contigo. 6. Te gusta mucho estar conmigo. 7. Nos gusta mucho estar con vosotros (or vosotras). 8. No nos gusta mucho estar con ella.

II 1. Tú trabajas por la tarde. 2. ¿Os gusta a vosotros (or vosotras) salir con vuestros amigos? 3. ¿Queréis vosotras venir conmigo? 4. ¿Tú te vas al campo los fines de semana? 5. No puedo hablar contigo ahora. 6. ¿Tú no vas a comer en casa de tu amiga? 7. ¿Estáis vosotros (or vosotras) de acuerdo con esto? 8. Vosotros vais a casaros pronto ¿verdad? 9. ¿A ti te gusta quedarte en casa los domingos?

III 1. Vds. van a quedarse aquí – esta ciudad les interesa. 2. Vosotros vais a quedaros ... os. 3. Mi marido va a quedarse ... le. 4. Mónica y Eladio van a quedarse ... les. 5. Yo voy a quedarme ... me. 6. Paco va a quedarse ... le. 7. Dolores y yo vamos a quedarnos ... nos. 8. Tú vas a quedarte ... te. 9. Carmen y María van a quedarse ... les.

IV a. Juan tiene siete hermanos.
b. Mónica tiene trece años.

4

I 1. Cree que todos los teatros terminan a las diez y media. 2. Dice que va a casarse (*or* se va a casar) con su novio dentro de 3 o 4 años. 3. Ha visto que es absurdo buscar a un hombre ideal. 4. Dicen que Chana puede salir sola con chicos. 5. Piensan que van a vivir en Madrid cerca de sus familias. 6. Dicen que no les gusta la 'mili'.

II 1. Ya han venido esta mañana. 2. . . . han terminado. 3. . . . nos hemos reunido. 4. . . . nos hemos hablado. 5. . . . ha llegado . . . 6. . . . le he ayudado . . .

III 1. En realidad no han ido a la biblioteca. 2. . . . no ha estudiado con ellas. 3. . . . ha visto a Pedro. 4. . . . no se ha quedado en Madrid. 5. . . . han ido a bailar. 6. . . . ha bebido mucho. 7. . . . no ha estado en casa antes de las diez.

5

I 1. No. Voy a comprarla esta tarde. 2. Voy a cocerlos más tarde. 3. Voy a comerlas mañana. 4. Voy a leerlo este fin de semana. 5. Voy a beberlo en seguida. 6. Voy a verla el viernes. 7. Voy a prepararlas ahora. 8. Voy a hacerlo el año que viene.

II 1. No. La mía es más grande que ésta. 2. El mío es más gordo que éste. 3. El mío es más moderno que éste. 4. Las mías son más jóvenes que éstas. 5. Los míos son más interesantes que éstos. 6. El mío es más pequeño que éste. 7. El mío es mejor que éste.

III llegado . . . preparado . . . hecho . . . comprado . . . estado . . . ocupada . . . ayudado . . . invitados . . . aceptado.

IV *The list should read:* 1. un decilitro de aceite. 2. una rama de perejil. 3. seis rodajas de merluza. 4. dos dientes de ajo. 5. seis chuletitas de cordero. 6. una hoja de laurel . . . y con todo esto . . . 7. un gran vaso de vino.

6

I 1. salieron 2. viste 3. visité 4. vinieron 5. vivieron 6. bebimos 7. pintó 8. llamó

II 1. El catorce de enero de mil novecientos treinta y nueve. 2. El veintidós de marzo de mil ochocientos cincuenta y uno. 3. El cinco de septiembre de mil setecientos sesenta y siete. 4. El primero de agosto de mil novecientos setenta y dos.

III 1. 11.V.1525; 2. 19.XII.1933; 3. 10.XI.1807; 4. 24.IV.1616

7

I 1. Uno se levanta a las siete y media. 2. Se sale de la casa a las nueve menos veinticinco. 3. Se empieza el trabajo a las nueve. 4. Se toma el aperitivo a las dos menos veinte. 5. Se come en casa a las tres menos diez. 6. Se sale a hacer compras a las cinco. 7. Se vuelve a casa para cenar a las nueve y veinticinco. 8. Uno se acuesta a las once y cuarto.

II 1. Ninguno . . . esa. 2. Esa . . . ninguna. 3. ese . . . ninguno. 4. Ningún . . . esa. 5. Esos . . . ninguna. 6. Ninguna . . . esas.

III 1. A las nueve me levanté y me lavé. 2. . . . tomé . . . 3. . . . salí . . . 4. . . . me fui . . . 5. . . . llegué . . . 6. Me pasé . . . 7. . . . volví . . . 8. . . . descansé . . . 9. . . . vinieron . . . 10. . . . me fui . . . leí . . .

8

I Antes doña Aurea vivía en un pequeño pueblo que se llamaba Illescas. Como en todos los pueblos la gente siempre hablaba de lo que hacían sus vecinos: criticaban y hablaban mal de ellos. A doña Aurea no le gustaba eso y quería marcharse a vivir en una ciudad grande. Iba con frecuencia a hacer compras a Madrid porque allí había unas tiendas muy bonitas. La acompañaba su marido, pero como era muy nervioso, prefería reunirse con sus amigos. Cuando iban juntos a hacer compras siempre regañaban, y por eso él se iba a un bar mientras doña Aurea hacía las compras sola. Después le esperaba a su marido en la puerta de la tienda, pero él, cuando bebía, siempre se olvidaba de su mujer.

II 1. No voy nunca. 2. No tiene ninguno. 3. No ha comprado nada. 4. No critica a nadie. 5. No va nunca. 6. No le gusta nada. 7. No viene nadie. 8. No tiene ninguna.

III 1. Dijo que su hijo salía con una chica que no le gustaba (a ella). 2. Dijo que sus amigos de Carranque iban a comprar un coche más grande. 3. Dijo que los Pérez querían vender su casa. 4. Dijo que se marchaba la criada de la señora García. 5. Dijo que estaba cansada y que no podía trabajar demasiado. 6. Dijo que la hija de doña Dolores esperaba a su séptimo niño. 7. Dijo que pensaban pasar las vacaciones con su hijo en Málaga. 8. Dijo que la hija de su vecina iba a casarse pronto y que se marchaba a Madrid.

IV ... aperitivo ... encontrado ... dicho ... tenías ... taxista ... para ... tener ... nervioso ... esperé ... quedarme ... vecinos.

9

I 1. has invitado. 2. era ... salía. 3. terminó. 4. conocimos. 5. se ha marchado. 6. tenía. 7. estuve. 8. ha estudiado. 9. costaba.

II 1. ¿Cúantos coches tenían Vds. entonces? 2. ¿Cuándo conoció Vd. a su marido? 3. ¿Dónde pasaron Vds. la semana pasada? 4. ¿Cuál de sus amigas le gusta más? 5. ¿Para quién ha comprado Vd. estos zapatos? 6. ¿A quién se refiere Vd.? 7. ¿Dónde vivían Vds. cuando eran jóvenes?

III 1. Era jefe de Correos. 2. Era profesora (de cultura general) *or* Daba clases. 3. En las casas particulares. 4. Trabajó hasta los sesenta años. 5. Era menos cara. 6. Costaba diez céntimos. 7. Se iba (al cine) el domingo (*or* los domingos). 8. Se merendaba un café con leche con (*or* y) una tostada de pan con mantequilla. 9. Pide una peseta y hasta un duro. 10. Se casó en el año mil novecientos cuarenta y cuatro ... y tenía cuarenta y seis años.

10

I 1. es el mejor. 2. son las más altas. 3. es el más tranquilo. 4. menos caros. 5. es el más famoso. 6. son los más antiguos. 7. es el peor. 8. menos simpática.

II 1. ... ellos mismos ... 2. ... el mismo ... 3. ... la misma. 4. ... tú misma ... 5. ... lo mismo ... 6. Yo mismo (*or* yo misma) 7. ... los mismos ... 8. Nosotros mismos ... (*or* nosotras mismas)

VERBS WITH IRREGULAR FORMS

Below is a list of some common verbs with irregular forms in the present and preterite tenses. Only three verbs have irregular imperfects, and these are shown on p. 66. Past participles *not* formed like hablar – **hablado**, beber – **bebido** or vivir – **vivido** are shown in brackets. For the present tense of regular verbs see p. 7 and for regular preterites see p. 53.

conducir	**conduzco**	**conduje**	ir	**voy**	**fui**
	conduces	**condujiste**		**vas**	**fuiste**
	conduce	**condujo**		**va**	**fue**
	conducimos	**condujimos**		**vamos**	**fuimos**
	conducís	**condujisteis**		**vais**	**fuisteis**
	conducen	**condujeron**		**van**	**fueron**
conocer	**conozco**	*Pret.*	poder	puedo	**pude**
	conoces	*regular*		puedes	**pudiste**
	conoce	conocí etc.		puede	**pudo**
	conocemos			podemos	**pudimos**
	conocéis			podéis	**pudisteis**
	conocen			pueden	**pudieron**
dar	**doy**	**di**	poner	**pongo**	**puse**
	das	**diste**	**(puesto)**	pones	**pusiste**
	da	**dio**		pone	**puso**
	damos	**dimos**		ponemos	**pusimos**
	dais	**disteis**		ponéis	**pusisteis**
	dan	**dieron**		ponen	**pusieron**
decir	**digo**	**dije**	querer	quiero	**quise**
(dicho)	dices	**dijiste**		quieres	**quisiste**
	dice	**dijo**		quiere	**quiso**
	decimos	**dijimos**		queremo.	**quisimos**
	decís	**dijisteis**		queréis	**quisisteis**
	dicen	**dijeron**		quieren	**quisieron**
estar	**estoy**	**estuve**	saber	**sé**	**supe**
	estás	**estuviste**		sabes	**supiste**
	está	**estuvo**		sabe	**supo**
	estamos	**estuvimos**		sabemos	**supimos**
	estáis	**estuvisteis**		sabéis	**supisteis**
	están	**estuvieron**		saben	**supieron**
hacer	**hago**	**hice**	salir	**salgo**	*Pret.*
(hecho)	haces	**hiciste**		sales	*regular*
	hace	**hizo**		sale	salí etc.
	hacemos	**hicimos**		salimos	
	hacéis	**hicisteis**		salís	
	hacen	**hicieron**		salen	

seguir	sigo	seguí	tener	tengo	tuve
	sigues	seguiste		tienes	tuviste
	sigue	siguió		tiene	tuvo
	seguimos	seguimos		tenemos	tuvimos
	seguís	seguisteis		tenéis	tuvisteis
	siguen	siguieron		tienen	tuvieron

ser	soy	fui	venir	vengo	vine
	eres	fuiste		vienes	viniste
	es	fue		viene	vino
	somos	fuimos		venimos	vinimos
	sois	fuisteis		venís	vinisteis
	son	fueron		vienen	vinieron

servir	sirvo	serví	ver	veo	vi
	sirves	serviste	(visto)	ves	viste
	sirve	sirvió		ve	vio
	servimos	servimos		vemos	vimos
	servís	servisteis		veis	visteis
	sirven	sirvieron		ven	vieron

VOCABULARY

Abbreviations: Adj. adjective f. feminine fam. familiar (tuteo) form pl. plural

Radical changing verbs have their vowel changes shown in brackets. Verbs marked with an asterisk * have irregular forms and are shown on pp. 84/85. Special forms of adjectives used before a masculine singular noun (e.g. buen) are also shown in brackets.

A

a *to, at*
abajo *down*
abierto *open*
abrir *to open*
absoluto: ¡en absoluto! *absolutely not!*;
  nada en absoluto *absolutely nothing*
absurdo *silly, absurd*
académico *academic*
el aceite *oil*
la aceituna *olive*
aceptar *to accept*
acompañar *to accompany*
acordarse(ue) de *to remember*
acostarse(ue) *to go to bed*
el acueducto *aqueduct*
acuerdo: estar de acuerdo *to agree*
además *what's more*
adiós *good-bye*
admitir *to accept*
adornar *to garnish*
aéreo *spatial*
el agua (f.) *water*
ahora *now*; ahora mismo *right now*
el aire *air*
el ajo *garlic*
al *to the, at the (note p. 78)*
el alambique *still*
el alcohol *alcohol*
alegre *cheerful, gay*
alejarse *to walk away*
alemán *German*
algo *something, anything*; ¿algo más?
  anything else?
alguien *someone*
alguno (algún) *etc. any, some*
el alimento *food, refreshment*
el alma (f.) *soul*
el almacén *warehouse, store*
la Alsacia *Alsace*
alto *tall, high*
allí *there*
amar *to love*
el ambiente *atmosphere*

el/la amigo, -a *friend*
la amistad: hacer amistad *to make friends*
amplio *large*
el anciano *old man, elderly person*
andar *to walk*
el anís *aniseed liqueur*
anterior *before*
antes (de) *before*; *at that time*
antiguo *old, ancient*
añadir *to add*
el año *year*
aparecer *to appear*
apellidarse *to be called (surname)*
el apellido *surname*
el aperitivo *aperitive*; *appetizer*
aproximadamente *approximately*
aquí *here*
el árbol *tree*
el arquitecto *architect*
arreglar la casa *to do the housework*
arriba *up*
el arroz *rice*
el arte *art*
artístico *artistic*
asar *to roast*
así *in this/that way, like this/that*; así que
  . . . *so*
la asignatura *(school) subject*
la asistenta *daily help*
el aspecto *aspect*
atmosférico *of the atmosphere*
aun *even*
aún *still*
aunque *although*
la ayuda *help*
ayudar *to help*
el azúcar *sugar*

B

bailar *to dance*
el baile *dance*
el baloncesto *basketball*
el baño *bathroom*

el bar *bar*
  barato *cheap*
la barca *boat*; ir en barca *to take out a boat*
el barco *boat*
el barrio *district, quarter*
la base *basis*
  bastante *enough, quite*
  beber *to drink*
la biblioteca *library*
  bien *well*
  blanco *white*
la boca *mouth*
  bonito *pretty, nice*
los boquerones *whitebait*
el borde *side, edge*
la Borgoña *Burgundy*
el brazo *arm*
  bueno (buen) *good, well*; ¡bueno! *all right!*
    good!; buenos días *good morning*; buenas
    tardes *good afternoon/evening*
  buscar *to look for*

C

el caballero *gentleman, man*
  cada *every, each*
el café *coffee*; *café*
la cafetería *café*
  calcular *to calculate, work out*
la calidad *quality*
  caliente *hot*
  calmarse *to calm down*
el calor *heat*; hace calor *it's hot*
la calle *street*
la cama *bed*
el camión *lorry*
el campo *country(side)*
  cansado *tired*
la cantidad *quantity, number*
la capital *capital*
el cariño *love, affection*
la carne *meat*
  caro *expensive, dear*
la carrera *course, profession, training*
la carta *letter*
la casa *house*; en casa *at home*; a casa *home*
  casado *married*
  casarse *to get married*
  casero *home-loving*
  casi *almost, nearly*
  castellano *Castilian*
el castillo *castle*
  católico *catholic*
la cazuela de barro *earthenware casserole*
la cebolla *onion*
  celebrar *to celebrate*

la cena *dinner, supper*
  cenar *to have dinner, supper*
el céntimo *centimo ($\frac{1}{100}$th of a peseta)*
  central *central*
  céntrico *central*
el centro *centre*
  cerca (de) *nearby, near*
  cercano *near(by)*
el cerdo *pig*
  cerrar(ie) *to close, shut*
el cesto *basket*
la ciencia *science*
  ciento; por ciento *per cent*
  cierto *(a) certain*; por cierto *by the way*
el cine *cinema*
el cisne *swan*
la cita *date, appointment*
la ciudad *city, town*
  ¡claro! *of course!*
  claro *bright*
la clase *kind; class*
  clásico *classic*
el clima *climate*
el club *club*
  cobrar *to take (money)*
  cocer(ue) *to boil; to cook*
la cocina *kitchen; cooking*
  cocinar *to do the cooking*
el coche *car*
el cochinillo *sucking pig*
la cochura *roasting*
el colega *colleague*
el colegio *school*
  colocar *to place*
el color *colour*
el comedor *dining room*
  comer *to eat, have lunch*
el comerciante *shopkeeper*
la comida *meal, lunch*
  ¿cómo? *how?*
  como *like, as*
el/la compañero, -a *friend, classmate*
  completo *complete*
  componerse de *to be composed of*
la composición *work*
la compra *shopping*; ir de compras *to go
    shopping*
  comprar *to buy*
  comprender *to understand*
  comunitario *community* (adj.)
  con *with*
  conceder *to grant, award*
el condensador *condenser*
  condensarse *to condense*
  * conducir *to drive*

congelado *frozen*
* conocer *to (get to) know*
* conocerse *to get to know each other*
conseguir *to obtain, achieve*
la conservadora *curator* (f.)
conservar *to keep*
considerarse *to consider oneself*
consistir en *to consist of*
constar de *to consist of*
la construcción *building*
construir *to build*
la contaminación *pollution*
el contenido *contents*
contento *content, happy*
continuar *to continue*
la conversación *conversation*
el cordero *lamb*
cortar *to cut*
la cosa *thing*; otra cosa *something/anything*
    else
costar(ue) *to cost*
la costumbre *custom*
la costura *sewing*
el cotilleo *gossiping*
creer *to believe, think*
la criada *maid*
criticar *to criticise, gossip*
criticón *fault-finding*
la cruz *cross*
cuadrado *square* (adj.)
el cuadro *painting, picture*
¿cuál? *which (one)?*
la cualidad *quality*
cuando *when*
¿cuánto? *how much/many?*; en cuanto a
    as for
el cuarto *room*; *quarter*; el cuarto de estar
    living room; el cuarto de baño *bathroom*;
    el cuarto de servicio *maid's room*
el cuerpo *body*
culinario *culinary*
la cultura general *general knowledge*
cultural *cultural*
el curso *class, course*

CH

charlar *to chat*
la chica *girl*
el chico *boy*
choque: el plato de choque THE *speciality*
el chorizo *preserved sausage (see p. 44)*
la chuletita *small chop*

D

la dama *lady*
* dar *to give*; darse cuenta *to realize*
de *of, from*; de momento *for the time being*
debajo de *beneath*
el deber *duty*
los deberes *homework*
decidir *to decide*
el decilitro $\frac{1}{10}$th *litre (approx.* $\frac{1}{5}$th *pint)*
* decir *to say*; querer decir *to mean*; es decir
    that is
dedicar *to dedicate*
el defecto *failing*
dejar *to leave, let, allow*
delante: por delante *in front, to your face*
demasiado *too much*
demostrar (ue) *to show*
dentro (de) *in, inside*
depender (de) *to depend (on)*
el deporte *sport*
el/la deportista *sportsman/woman*
depurado *distilled*
la derecha *right*; a la derecha *to/on the right*
descansar *to rest*
descargar *to unload*
describir *to describe*
desde *from, since*; ¡desde luego! *of course!*
desear *to wish*
después *after, afterwards*; *then*
destinado *allotted*
determinar *to fix, specify*
detrás: por detrás *behind, behind your back*
el día *day*
dicho *aforesaid*
diferenciar *to distinguish*
el diente de ajo *clove of garlic*
difícil *difficult*
la dimensión *dimension*
el dineral *fortune*
el dinero *money*
la disculpa *excuse*; poner una disculpa
    to make an excuse
disfrutar de *to enjoy*
disponible *available*
distinto *different, various*
la distracción *amusement*
la diversión *entertainment*
diverso *varied*
divertirse(ie) *to enjoy oneself*
doméstico *domestic*
el domingo *Sunday*
donde *where*
el dormitorio *bedroom*
el duende *spirit*

durante *for, during*
duro *hard, difficult*
el duro *5 pesetas (see note p. 71)*

E

económicamente *economically*
echar de menos *to miss*; echarse a acostar
    to lie down
la edad *age*
el edificio *building*
la educación *education*
    efectivamente *exactly*
    ejemplo: por ejemplo *for example*
    ejercer *to practise*
el ejercicio *exercise*
    ejercitar *to practise*
el *the*
él *he, him*
    elegir *to choose*
ella *she, her*
ellos/ellas *they, them*
la embotelladora *bottling machine*
el embotellamiento *traffic jam*
    embotellar *to bottle*
    empezar(ie) *to start, begin*
    emplear *to use, spend*
    en *in*; en realidad *in fact*
el enano *dwarf*
    encantado *delighted*
    encontrar(ue) *to meet, find*; encontrarse
    con *to meet*
    enfadarse *to get angry*
    enfermo *ill*
    enorme *huge*
la enseñanza *teaching*
    entonces *then*; *well then*
    entrar *to go/come in*
    entre *among, between*
la entrevista *interview*
    envidioso *jealous*
    envuelto *wrapped*
la época *period*
    escolar *school* (adj.)
    escribir *to write*
la escuela *school*
    ese, esa/esos, esas *that/those*
    eso *that*; eso es *that's it*
    español *Spanish*; los españoles *Spaniards*
    espárragos: puntas de espárragos
    asparagus tips
la especia *spice*
    especial *special*
la especialidad *speciality*
el/la especialista *expert*

la especie *kind, sort*
el espejo *mirror*
    esperar *to wait (for)*; *to expect*; *to hope*;
    to look for
la espontaneidad *spontaneity*
    espontáneo *spontaneous*
la esposa *wife*
el esposo *husband*
la esquina *corner*
el establecimiento *store, shop*
la estación *station*
el estado *state*; el estado de ánimo *mood*
los Estados Unidos *United States*
el estanque *lake, pond*
* estar *to be*
    este, esta/estos, estas *this, these*
    esto *this*
el estilo *style*
    estropear *to ruin*
el/la estudiante *student*
    estudiar *to study*
los estudios *studies*
    estupendo *marvellous*
    europeo *European*
    exactamente *exactly*
    exacto *exact, precise*
la excursión *trip, day out*
    exótico *exotic*
    experimental *experimental*
    exportar *to export, send off*
    extender(ie) *to lay out*
    extraordinario *extraordinary*

F

la fábrica *factory*
la fabricación *manufacture*
    fabuloso *marvellous, fabulous*
    fácil *easy, simple*
    facilidad: tener facilidad para *to be good at*
la facultad *faculty*
la familia *family*
    familiar *family* (adj.)
    famoso *famous*
el fantasma *ghost*
    ¡felicidades! *congratulations!*
    feliz *happy*
    feo *ugly*
la fiesta *celebration, party*; la sala de fiesta
    dance hall
    ¡fíjate! *as a matter of fact*
    fijo *fixed*
la filosofía *philosophy*
el fin *end*; el fin de semana *week-end*; en fin
    in other words (see note p. 17)

flamenco *Flemish*
el flan *crème caramel*
el fondo *background*; al fondo *at the back*
la forma *way, manner, form*
formarse (en) *to learn (about)*
formidable *wonderful*
la fotografía *photograph*
frecuencia: con frecuencia *frequently*
frente a *facing*
fresco *fresh*
frío *cold*; hace frío *it's cold*
frito *fried*
la fronda *greenery*
la fruta *fruit*
fuera *out*
fuerte *strong*
fumar *to smoke*
la función *performance, show*
fundamentalmente *basically*
futuro *future*

G

la gamba *prawn*
ganas: tener ganas de *to feel like*
general *general*; cultura general *general knowledge*; en general *in general*
la gente *people*
la geografía *geography*
la gimnasia *gymnastics*
gordo *thick, fat*
gracias *thank you*; muchas gracias *thank you very much*
el gramo *gram*
grande (gran) *big, large*
grandecito *biggish*
el granito *seed*
grueso *thick*
el grupo *group*
el guisante *pea*
gustar *to please*
el gusto *pleasure*

H

la habitación *room*
el habitante *inhabitant*
hablador *talkative*
hablar *to speak, talk*
* hacer *to do, make*; hace calor *it is hot*; hace diez años *ten years ago*
hasta *until*; hasta los sesenta años *until I was 60*

hay *there is/are*; hay que *one has to*
la hermana *sister*
el hermano *brother*
la hija *daughter*
el hijo *son*
la historia *history*
histórico *historic*
la hoja de laurel *bay leaf*
¡hola! *hallo!*
el hombre *man*
el honor *honour*
la hora *hour, time*; ¿qué hora es? *what's the time?*
el horario *timetable*
el horno *oven*
hoy *today*
el huevo *egg*
humano *human*

I

la idea *idea*
ideal *ideal*
el idioma *language*
igual *equal, the same*
ilustrar *to illustrate*
la importancia *importance*
importar *to matter*; ¿le importa? *do you mind?*
imposible *impossible*
imprescindible *essential*
inclusive *inclusive*
incluso *including*
independiente *independent*
indicar *to tell*
el/la individualista *individualist*
indudablemente *without doubt*
la Infanta *princess*
inferior *lower*
inglés *English*
inmemorial *immemorial*
inspirado *inspired*
la inteligencia *intelligence*
inteligente *intelligent*
el interés *interest*
interesante *interesting*
interesar *to interest*
el invitado *guest*
invitar *to invite*
* ir *to go*
* irse *to go (off, away)*
italiano *Italian*
la izquierda *left*

el jamón *ham*
el jardín *garden*
el jefe *boss*; jefe de Correos *postmaster*
el jerez *sherry*
la jornada *working day*
   joven *young*
el joven *young man/person*
la judía *bean*
el judión *big bean*
   jugar(ue) *to play*
   junto *together*
   juvenil *youthful*

K

el kilómetro *kilometre*

L

   la *the, her, you* (f.), *it* (f.)
el lado *the side*
el lago *lake*
   largo *long*
   las *the, them* (f.), *you* (f. pl.)
el latín *Latin*
   lavar *to wash*
   lavarse *to wash (oneself)*
   le *(to) him, you* (m.), *(to) her*
la lección *lesson*
la leche *milk*
   leer *to read*
   legalmente *legally*
   lejos *far*
la lengua *language*
el lenguado *sole*
   lentamente *slowly*
   les *(to) them, you* (pl.)
las Letras *the Arts*
   levantarse *to get up*
   liberarse *to free oneself*
   libre *free*
el libro *book*
el licor *liqueur*
   lo *it*
   lograr *to achieve*
la loncha *slice*
   los *the* (pl.), *them*
   luego *then; later*
el lugar *place*
el lunes *Monday*
la luz *light*

LL

   llamar *to call*
   llamarse *to be called*
   llegar *to arrive, get*
   lleno *full*
   llevar *to take*; llevo dos años aquí *I've been here for 2 years (see p. 28)*

M

la madre *mother*
el madrileño *inhabitant of Madrid*
   magnífico *magnificent*
   mal *badly*
   mandar *to send; to set (homework)*
la manera *way*
la manteca *fat*
la mantequilla *butter*
   manual *manual*
la manzanilla *manzanilla (see note p. 44)*
la mañana *morning*; por la mañana *in the morning*
   mañana *tomorrow*
el mapa *map*
el mar *the sea*
   maravilloso *wonderful*
   marcharse *to go off, away; to leave*
el marido *husband*
   más *more, most*
la matalahuva *aniseed*
las matemáticas *mathematics*
el matrimonio *marriage; married couple*
   mayor *older, senior*; los mayores *older people, elderly people*
   me *(to) me*
   mediano *middle* (adj.)
la medicina *medicine*
   medio *half*
el mediodía *midday*
   mejor *better, best*
   menos *least, less*; por lo menos *at least*; ¡menos mal! *it's just as well*; echar de menos *to miss*
la mente *mind*
   menudo: a menudo *often*
el mercado *market*
   merendar *to have a snack (see note p. 52)*
la merienda *picnic (see note p. 52)*
la merluza *kind of hake*
el mes *month*
la mesa *table*
el mesón *inn*

el metro *metre*
mezclar *to mix*
mi *my*
mí *me*
mientras *while*
el miércoles *Wednesday*
el millón *million*
el Ministerio *Ministry*
el minuto *minute*
mirar *to look (at)*
el mismo *same*; yo mismo *(I) myself*
  (see note p. 78)
mixto *mixed*
la moda *fashion*
moderno *modern, up-to-date*
molestar *to bother*
momento: de momento *for the time being*
la monja *nun*
el monumento *monument*
mucho *a lot of, much, many*
la mujer *woman, wife*
mundial *world* (adj.)
el mundo *world*; todo el mundo *everyone*
el museo *museum*
la música *music*
muy *very*

N

nada *nothing*; de nada *don't mention it*
nadie *nobody, no-one*
la naranja *orange*
la naturalidad *naturalness*
naturalmente *naturally, of course*
navarro *Navarrese*
necesidad: tener necesidad *to need*
necesitar *to need*
neoclásico *neo-classical*
nervioso *nervy, excitable*
ni . . . ni *neither . . . nor*
ninguno (ningún) *none*
la niña *girl*
el niño *boy, child*
el nivel *level*
no *no, not*
la noche *night*; por la noche *at night-time*
el nombre *name*
normalmente *usually*
nos *(to) us*
el/la novio,-a *fiancé(e), boy/girl friend*
  (see note p. 36)
nuestro *our, ours*
nuevo *new*; de nuevo *again*
nunca *never*

O

o *either, or*
la obra *work*
la ocasión *occasion*
ocupado *busy*
la oficina *office*
ofrecer *to offer* (*like* conocer *p. 84*)
¡oído! *O.K.!*
oir *to hear; to listen to*
olvidarse (de) *to forget*
la orden *order*
oriental *oriental*
otro *other, another*

P

el padre *father*; los padres *parents*
pagar *to pay*
el país *country*
el pajarito *little bird*
el pan *bread*
el par *pair*
para *for*; ¿para qué? *why? (see note p. 38)*
parecer: cuando le parece *when he feels
  like it* (*like* conocer *p. 84*)
la pareja *couple*
el parque *park*
la parte *part*; la parte de ciencias *science
  side*
particular *private*
partidario: ser partidario *to have strong
  feelings*
partir *to cut*
pasar *to spend (time)*; *to go in*; pasar sin
  to go without; pasar(lo) bien *to have a
  good time*
pasear *to (go for a) walk*
el pato *duck*
la patria *motherland*
el patrón *model*
el pecho *breast*
pedir *to ask (for)*
pelado *peeled, shelled*
pensar(ie) *to think*; *to intend to*; pensar
  mejor *to have second thoughts*
pequeño *small, little*
perder(ie) *to lose*
¡perdona! *excuse me!*
el perejil *parsley*
perfil; de perfil *in profile*
el periodo *period*
el permiso *permission*
permitir *to allow, permit*

pero *but*
el perro *dog*
la persona *person*
el personaje *character*
la personalidad *personality*
la perspectiva *perspective*
la pescadería *fish shop*
el pescado *fish*
pescar *to fish*
el pie *foot*; de pie *standing (up)*
el pincho *small portion*
pintar *to paint*
el pintor *painter*
la pintura *painting*
el piso *flat*; *floor*
la pista de patinar *skating rink*
la plancha *ironing*
el plano *plane*
el plato *dish, plate*
la plaza *square*
el pobre *beggar*
poco *little, few*
*poder(ue) *to be able*
la política *politics*
la polución *pollution*
* poner *to put, place*
popular *popular*
un poquito *a little bit*
por *for*; *by*; por la tarde *in the afternoon*;
    por favor *please*; por lo menos *at least*;
    por cierto *by the way*; por ciento *percent*;
    por eso *for that reason, therefore*
¿por qué? *why?*
porque *because*
practicar *to practise*
precioso *lovely, pretty*
preferir(ie) *to prefer*
preguntar *to ask*
preocuparse (por) *to bother (about)*
preparar *to prepare*
la presentación *introductions*
presentar *to introduce*
prestar *to lend*
el prestigio *prestige*
la primavera *spring*
primero (primer) *first*
principal *main*
principalmente *above all*
principio: al principio *at the beginning*
probar(ue) *to taste, try*
el problema *problem*
el proceso *process*
producir *to produce*
la profesora *teacher* (f.)
la profundidad *depth*

el programa *project, programme*
pronto *soon, quickly*
propio *own*
la provincia *province*
la psicología *psychology*
el público *public*
el pueblo *small town, village*
la puerta *door*
pues *well*
el punto *degree, state, point*
puro *pure*

Q

¿qué? *what?*
que *which, that, who, whom*
quedarse *to stay*; quedarse viuda *to be widowed*
* querer(ie) *to want*; *to love*; querer decir *to mean*
el queso *cheese*
¿quién? *who? whom?*
quisiera *I'd like*
quizá, quizás *perhaps*

R

la rama *sprig*
el rato *short while*
Real *Royal*
realidad: en realidad *in fact*
realmente *really, in fact*
la receta *recipe*
el recinto *area*
recoger *to pick up*
recomendar(ie) *to recommend*
referirse(ie) a *to refer to*
reflejar *to reflect*
regañar *to argue, row*
la región *region*
la regla *rule*
la reina *queen*
la religión *religion*
remar *to row*
repasar *to revise, go over*
representar *to show, depict, represent*
representativo *representative*
respirar *to breath*
restar *to be left*
el restaurant(e) *restaurant*
el resto *rest*
resultar *to turn out*
retraído *withdrawn*
reunirse *to meet, get together*
el rey *king*

rico *rich*; *delicious*
el río *river*
la rodaja *slice*
romper *to break*

S

* saber *to know (how to)*
el sabor *taste, flavour*
sacar *to take out*
la sal *salt*
la sala *room, gallery*; la sala de fiesta
    dance hall
* salir *to go out*
el salmonete *red mullet*
la salsa *sauce*
el santo *saint's day (see note p. 43)*
la sardina *sardine*
sea: o sea *(see note p. 38)*
secarse *to dry out*
seco *dry*
* seguir *to follow; carry on*
seguro *sure*
la semana *week*; el fin de semana *week-end*
señor *Mr., Sir*
el señor *gentleman*
la señora *lady, Mrs.*
la señorita *young lady, Miss*
sentarse(ie) *to sit down*
el sentido *sense*
sentir: lo siento *I'm sorry*
sentirse(ie) *to feel*
séptimo *seventh*
* ser *to be*
el servicio *(maid) service*
* servir *to serve*
la sesión *performance, show*
si *if*
sí *yes*
siempre *always*; *still*; de siempre *always*
el siglo *century*
significar *to mean*
siguiente *following*
el silencio *silence*
sin *without*
el sitio *place*
sobre *on, over, about*; sobre todo *above all*
el sol *sun*; hace sol *it's sunny*
soler(ue) *to do something usually, to be in
    the habit of*
solo *alone*
sólo/solamente *only*
soltero *single*; de soltera *when I was single*
la sombra *shade*

la sopa *soup*
su *your, his, her, their, its*
sueco *Swedish*
el sueldo *wages, earnings*
el suelo *floor, ground*
suficiente *enough*
la superficie *area*
superior *superior*
suponerse *to imagine (like* poner *p. 84)*
supuesto: por supuesto *of course, naturally*
suyo *(of) yours, his, hers, theirs*

T

tal cosa *something or other*; tal como es
    just as he/she/it is
el taller *work room*
el tamaño *size*
también *too, also, as well*
tan *so*
tanto *so much/many*; por tanto *therefore*
las tapas *hors d'oeuvres, snacks (see note p. 58)*
la tarde *afternoon, evening*
tarde *late*
el taxi *taxi*
el taxista *taxi driver*
el teatro *theatre*
* tener *to have*; tener que *to have to*; tener
    ganas de *to feel like*; tener en cuenta
    to bear in mind
terminar *to finish*
término: en primer término *in the
    foreground*
la terraza *terrace*
terriblemente *terribly*
el tiempo *time; weather*
la tienda *shop*
el tinto *red wine*
típico *typical*
el tipo *type*
todavía *still, ever, yet*
todo *all, every*; todo el mundo *everyone*
tomar *to take*
tonto *stupid*
la tortilla *omelette*
la tostada *toast*
trabajar *to work*
el trabajo *job, work*
traer *to bring, carry*
el tráfico *traffic*
tratarse: se trata de *we're dealing with,
    it's all a matter of*
el trayecto *journey*
el tren *train*

la trucha *trout*
tú *you* (fam.)
tuyo *(of) yours* (fam.)

U

único *only*
la universidad *university*
universitario *university* (adj.)
uno (un) *a, one*
unos, unas *some, a few*
usar *to use*
utilizar *to use, make use of*

V

valer *to be alright*; ¡vale! *fine, OK*
el valor *value*
la vanidad *vanity*
el vapor *steam*
variado *various*
la variedad *variation*
varios *several, various*
el vaso *glass*
Vd./Vds. *you/you* (pl.)
el/la vecino,-a *neighbour*
la vendedora *seller* (f.)
vender *to sell*
* venir(ie) *to come*
* ver *to see*

el verano *summer*
verde *green*
el vermút *vermouth*
vestido *dressed*
la vez *time*; otra vez *again*
la vida *life*
el viernes *Friday*
vinculado *based on*
el vino *wine*
visitar *to visit*
la vista *scenery*
la viuda *widow*
la vivienda *dwelling*
vivir *to live*
la vocación *vocation*
voluntariamente *of one's own free will, willingly*
volver(ue) *to return*; volver a – *to – again*
la vuelta *change*
vuestro *your*; *(of) yours* (fam. pl)

Y

y *and*
ya *now, already*
yo *I*
el yogurt *yoghurt*

Z

el zapato *shoe*